油田水处理与检测技术

张世君　周根先　等编著

黄河水利出版社

内 容 提 要

本书对油田水处理技术原理、处理工艺、油田水处理中的水质分析技术、处理效果评价技术、水处理化学剂的性质及评价方法以及油田结垢趋势预测技术、结垢物组分分析技术等作了系统的论述。全书共分 8 章，依次为：概述、油田水处理技术、油田水处理化学剂、油田水处理化学剂性能评价技术、油气田水分析技术、油田注水水质检测技术、油田水沉积物组分分析、油田水结垢趋势预测技术。在取材上力图做到少而精和理论联系实际，并尽可能反映本学科领域的新技术、新方法。

本书可供从事油田水处理、油田化学、油气集输及相关专业科研、管理以及从事油田化学剂产品质量检验的人员、大专院校有关专业师生阅读参考，也可作为专业技术培训教材使用。

图书在版编目(CIP)数据

油田水处理与检测技术/张世君，周根先等编著.
郑州：黄河水利出版社，2003.8
ISBN 7 - 80621 - 723 - 1

Ⅰ.油…　Ⅱ.①张…　Ⅲ.油田注水 - 水处理
Ⅳ.TE357.6

中国版本图书馆 CIP 数据核字(2003)第 073796 号

出 版 社：黄河水利出版社
　　　　地址：河南省郑州市金水路 11 号　　邮政编号：450003
发行单位：黄河水利出版社
　　　　发行部电话及传真：0371—6022620
　　　　E-mail:yrcp@public.zz.ha.cn
承印单位：黄河水利委员会印刷厂
开本：787 mm×1 092 mm　1/16
印张：8.75
字数：200 千字　　　　　　　　　印数：1—1 100
版次：2003 年 8 月第 1 版　　　　印次：2003 年 8 月第 1 次印刷

书号：ISBN 7 - 80621 - 723 - 1/TE·1　　　　定价：20.00 元

前　言

在原油的开采过程中，与石油、天然气等矿产赋存在地下数百米至数千米的油气藏中的水，随同石油、天然气一同被开采出来，成为石油、天然气开采过程中的伴生物——油气田水。由于油气田水中往往含有较高的油分、盐分和其他杂质，不能直接外排，因而形成了油田含油污水。

目前，国内外大部分油田都采用注水开发。一方面，注水开发油田在不断地产生着数量巨大的油田污水；另一方面，向地下注水又需要数量巨大的注水水源。在水资源严重匮乏、生态环境日趋恶化的当今，无论是从保护生态环境出发，还是从节约水资源考虑，搞好油田污水处理，将油田污水回注地层实现再利用，成为国内外油田的通常做法。

与其他工业废水相比，油田污水的组成有其特殊性，另外，油田注水开发对注水水质的要求与一般工业用水对水质的要求有明显不同。因而，油田污水或油田注水水质的处理既具有一般工业水处理的共性，又有其特殊性。

我国油田污水处理技术研究，始于 20 世纪 60 年代末 70 年代初，直到 80 年代后期，油田水处理理论与工艺技术逐步得到完善、配套。油田注水水质标准于 1988 年首次以石油行业标准的形式颁布。

一方面，目前我国大部分油田从一类储层易动用储量的开发逐步转向二、三类储层难动用储量的开发，对注水水质的要求更为苛刻；另一方面，不同的油田，在不同的开发时期，油田污水的性质千差万别，各种三次采油及提高原油采收率技术的应用，使油田污水的性质更加复杂化，大大增加了油田污水处理的难度。因此，根据油田污水性质的变化，研究、开发新的污水处理工艺技术和优质高效的水处理剂，将是油田污水处理工作者的长期任务。

本书对油田水处理技术原理、处理工艺、油田水处理中的水质分析技术、处理效果评价技术、水处理化学剂的性质及评价方法以及油田结垢趋势预测技术、结垢物组分分析技术等作了系统的论述。在取材上力图做到少而精和理论联系实际，并尽可能反映本学科领域的新技术、新方法。

全书共分 8 章，由张世君(第一章、第二章、第四章)、周根先(第三章、第五章、第八章)、张明锁(第六章)、陈书成(第七章 1 ~ 5 节)、张爱社(第七章 6 ~ 9 节)编写。孙江成、王骏骐参加了部分章节的编写和校对工作。张世君、周根先负责全书的修改和定稿。

由于作者水平所限，加之本书涉及领域宽广，如有欠妥或不足之处，敬请读者予以指正。

作　者
2003 年 3 月

目　录

第一章 概 述

第一节 水资源基本概况

一、水储量分布及水资源概况

水是自然界中分布最广泛的一种资源，它以气、液、固三种状态存在。地球上水的总量约有 $1.386 \times 10^9 \text{ km}^3$。如果全部平铺在地球表面上，可以达到 3 000 m 的水层厚度。地球表面的四分之三都被水覆盖着。

储水量虽然如此丰富，但绝大部分是咸的海水，加上内陆地表咸水湖、地下咸水，共约占总储水量的 98%；淡水量的全部总和只不过占总储水量的 2%，而冰川、积雪约占总水量的 1.7%，目前尚难利用和开发。实际上能供人类生活和生产使用的淡水资源还不到淡水储量的万分之一。因此，淡水是有限的宝贵资源。全球水储量分布情况见表 1-1。

表 1-1　水储量分布情况

序号	水体存在类别	体积($\times 10^4 \text{ km}^3$)	所占比例(%)	
			总储水量	淡水储量
1	海洋水	133 800	96.5	—
2	地下水	2 340	1.7	—
	其中：地下淡水	1 050	0.76	30
3	土壤水	1.65	0.001	0.05
4	冰川与永久雪盖	2 406	1.74	68.7
5	永冻土底冰	30.0	0.2	0.86
6	湖泊水	17.64	0.013	—
	其中：淡水	9.10	0.007	0.26
7	沼泽水	1.147	0.000 8	0.03
8	河床水	0.212	0.000 2	0.006
9	生物水	0.112	0.000 1	0.003
10	大气水	1.29	0.001	0.04
	总储量	138 598	100	—
	其中：淡水储量	3 500	2.53	100

我国淡水资源比较丰富，居世界第五位。但人均水资源量与世界许多国家相比，相差很大，只能排到第 88 位。世界部分国家人均水资源量见表 1-2。

我国除了人均淡水资源贫乏外，水资源的分布在时间和空间上也很不平衡。我国属于季风气候，水量大部分集中在汛期。夏季径流量几乎占全年的 40%。大量的淡水通过洪水排入大海而未能得以利用。从地区上讲，我国长江流域及其以南地区的径流量约占全国的 80%，而北方广大地区不足 20%。南方人均年径流量为 4 170 m^3/a，北方只有 938

m^3/a，南方为北方的 4.4 倍。

表 1-2　世界部分国家人均水资源量

国家	人均水资源量(m^3)	国家	人均水资源量(m^3)
加拿大	145 900	苏联	17 800
新西兰	107 000	美国	14 280
巴西	56 000	巴基斯坦	10 950
澳大利亚	27 600	墨西哥	7 270
日本	5 020	印度	3 050
法国	3 960	英国	2 900
意大利	3 920	联邦德国	2 850
西班牙	3 160	埃及	2 530
智利	18 100	中国	2 380

由以上情况可以看出，我国是贫水国家。如何合理地、有效地使用和开发淡水资源，防止水源污染，已是当务之急。

二、各类工业用水水源及其特点

(一)地表水

地表水是指雨雪、江河、湖泊以及海洋的水。这些水的特点都与它们的形成过程密切相关。

雨雪在降落的过程中都溶有一定数量的杂质，如 O_2、CO_2、N_2 等，还可能混有工业和城市的废气、烟尘。这部分地表水总的来说杂质少且含盐量低，平均含盐量只有 40 mg/L 左右，硬度也很低，平均也只有 0.025 mmol/L 左右，属于软水。

江河水是降水经地面径流汇聚而成的，流域面积十分广阔，又是敞开流动的水体，其水质受地区、气候以及生物活动和人类活动的影响而有较大的变化。河水广泛接触了岩石、土壤，溶入了一些盐类，因而含盐量比雨雪高。不同地区的矿物组成决定着河水的基本化学成分。此外，河水总混有泥沙等悬浮物而呈现出一定浑浊度，可从数十毫克/升到数百毫克/升。

江河水中主要离子成分构成的含盐量一般在 100～200 mg/L，不超过 500 mg/L，个别河流也可达到 3×10^4 mg/L 以上。

湖泊是由河流及地下水补给而成的，它的水质与补给水水质、气候、地质及生物等条件有密切关系，同时流入和排出的水量、日照和蒸发强度等也在很大程度上影响湖水的水质。湖水由于湖面宽广、流动缓慢，故蒸发量大。如果流入和排出湖泊的水量都较大时，那么湖水的蒸发量相对较小，因而可以保持较低的含盐量而成为淡水湖，其含盐量一般在 300 mg/L 以下。否则，如果流入的水量大部分被蒸发，使湖水浓缩、含盐量增高，那就变成咸水湖或盐湖。湖泊由于光照面积大，有利于生物的生长和繁殖，因此水中微生物的量较大。海洋水的蒸发量每年有 40×10^4 km^3，从江河每年带入的溶解盐类

有 3.85×10^9 t，经过长年积累，海水中的含盐量高达 35 000 mg/L 左右。

水库实际上是一种人造湖泊，其水质也与流入的河水水质和地质特点有关，但最终会形成与湖泊相似的稳定态。

我国主要河流和部分淡水湖泊、水库水质组成参见表 1-3、表 1-4。

表 1-3　我国主要河流的水质组成

成分	含量(mg/L)						
	珠江	长江	黄河	黑龙江	闽江	塔里木河	松花江
Ca^{2+}	18	28.9	39.1	11.6	2.6	107.6	12.0
Mg^{2+}	1.1	9.6	17.9	2.5	0.6	841.5	3.8
$K^+ + Na^+$	16.1	8.6	46.3	6.7	6.7	10 265	6.8
HCO_3^-	32.9	128.9	162.0	54.9	20.2	117.2	64.4
SO_4^{2-}	34.8	13.4	82.6	6.0	4.9	6 052	5.9
Cl^-	7.3	4.2	30.0	2.0	0.5	14 368	1.0
含盐量	110.2	193.6	377.9	83.7	35.5	31 751	93.9

表 1-4　部分淡水湖泊、水库水质组成

成分	含量(mg/L)		
	南湖(武汉)	洪湖(湖北)	立新城水库(长春)
Ca^{2+}	18.9	22.4	20.5
Mg^{2+}	1.83	3.17	5.61
$K^+ + Na^+$	17.9	11.4	3.17
HCO_3^-	70.7	75.3	79.9
SO_4^{2-}	15.8	10.3	5.0
Cl^-	13.7	4.55	7.1
含盐量	138.8	127.1	121.3

(二)地下水

地下水是由降水经过土壤地层的渗流而形成的，在其漫长的流程和广泛的接触中，溶入了较多的盐类。但另一方面，地下水由于地层的层层过滤，悬浮物很少，水质清澈而透明，浊度较低。

地下水按其深度可以分为表层水、层间水和深层水。通常作水源使用的地下水均属层间水，即中层地下水。这种水受外界影响小，水质组成稳定，水温变化很小，水质清澈透明，有机物和细菌的含量较少，但含盐量较高，硬度较大。随着地下水深度的增加，其主要离子组成从低矿化度的淡水型转化为高矿化度的咸水型，即从 $[Ca^{2+}] > [Na^+]$、$[HCO_3^-] > [SO_4^{2-}] > [Cl^-]$ 转化为 $[Na^+] > [Ca^{2+}]$、$[Cl^-]$ 或 $[SO_4^{2-}] > [HCO_3^-]$。

由于地下水与大气接触不畅通，水中溶解氧很少，有时由于生物氧化作用还会产生有机酸、H_2S 和 CO_2，使水呈弱酸性或酸性。某些地下水的水质组成见表 1-5。

表 1-5　某些地下水的水质组成

成分	含量(mg/L)				
	濮阳井水	石家庄井水	哈尔滨井水	天津井水	湖南某井水
Ca^{2+}	64.1	82.9	78.2	8.0	2.83
Mg^{2+}	40.1	19.8	12.8	3.7	1.56
$K^+ + Na^+$	84.1	16.2	23.5	317	5.29
HCO_3^-	500	219.6	317.2	464	9.76
SO_4^{2-}	35.2	37.3	8.0	48	8.95
Cl^-	42.0	28.0	21.34	200	2.55
Fe^{2+}	—	—	0.02	—	1.4～2.1
Mn^{2+}					—
含盐量	765.5	403.8	461.1	1 040.7	32.7
H_2S			76.4		
游离 CO_2	26.4		11.5		79.4
pH 值	7.5	7.6	6.9	8.3	
特点			含 H_2S	含氟矿化水	软水，腐蚀性强

第二节　油田水的来源与特性

一、油田水的来源

油、气田水(通常简称油田水)是一种深埋地下的地下水，它与石油、天然气的关系极为密切，是油、气田区域内的地下水，目前世界上所发现的油、气田几乎都含有水。在油、气藏的形成过程中，水在其中起了很大作用，水经常和油、气在一起，或者离油、气很近，同处于封闭环境之中，所以，水中的各种离子含量高，其中含有很多与油、气有直接关系的特殊化学成分，可以用来与一般地下水相区别。

油、气田水是一种特殊的地下水，它与石油、天然气等矿产赋存在地下数百米至数千米的油气藏中，并与石油、天然气一同被开采出来而成为石油、天然气开采过程中的伴生物。一般来讲，在油田的开发初期，采出液(油、气、水混合物)中含水率很小，采出的油田水量相对较少。在油田的开发过程中，为了保持地层压力，提高原油采收率，普遍采用注水开发工艺，即注入的高压水驱动原油并将其从油井中开采出来。经过一段时间注水后，注入水将随原油被带出，随着开发时间的延长，采出原油含水率不断上升，如中原油田目前综合含水率已高达 85% 左右。油田原油在外输之前要求必须进行脱水处理，合格原油含水率应在 0.5% 以下。因此，油田水存在于地下，在石油、天然气开采过程中被带到地面，形成数量巨大的伴生物，随着油田开发时间的延长，其数量将大幅度上升。

油田水与原油分离后，水中含有较高的油分和其他杂质，不能直接外排，因而形成了油田含油污水。因此，油田水这一概念在不同的学科领域代表不同的含义。在油矿地质学上，油田水是指与石油、天然气等矿产并存于地下数百米至数千米的油气藏中的地层水。而从水处理技术科学角度讲，油田水是指在石油、天然气勘探、开采过程中形成

程中形成的各类油田污水，除了原油开采过程分离出来的含油污水及天然气开采过程带出的地层水(统称产出水)外，还包括钻井污水、油田作业污水等，但其中以产出水的量为最大，占油田污水总量的98%。

二、油田水的特性

(一)地层水

油、气田水的化学成分非常复杂，所含的离子种类甚多，其中最常见的离子有：

阳离子：Na^+、K^+、Ca^{2+}、Mg^{2+}；

阴离子：Cl^-、HCO_3^-、CO_3^{2-}、SO_4^{2-}。

其中以Cl^-、Na^+最多，SO_4^{2-}较少。在淡水中HCO_3^-和Ca^{2+}占优势，在盐水中Cl^-、Na^+居首位。在油、气田水中以NaCl含量最为丰富，其次为Na_2CO_3和$NaHCO_3$、$MgCl_2$和$CaCl_2$等。

油、气田水中还常含有Br^-、I^-、Sr^{2+}、Li^+等微量元素以及环烷酸、酚及氮、硫的有机化合物等有机质。表1-6给出了国内部分油田一些油田水的水质组成。

表1-6　国内部分油田水的水质组成

井　号		组成(mg/L)							pH 值	水型
		$K^+ + Na^+$	Ca^{2+}	Mg^{2+}	HCO_3^-	SO_4^{2-}	Cl^-	总矿化度		
中原	W92	103 706	2 042	2 042	582	3 757	201 711	3.14×10^5	6.0	$CaCl_2$
	W13-75	33 651	7 796	641	314	1 221	66 469	1.10×10^5	6.0	$CaCl_2$
	P17	86 131	1 585	305	350	2 707	134.451	2.26×10^5	6.2	$CaCl_2$
	P1-9	105 536	4 985	816	318	1 184	173 092	2.86×10^5	6.0	$CaCl_2$
长庆	南75	34 926	6 558	6 558	199	0	68 787	1.17×10^5	—	$CaCl_2$
	北67	37 650	5 340	961	178	1 707	70 457	1.16×10^5	—	$CaCl_2$
	中12	4 820	564	134	1 331	5 251	4 264	1.62×10^4	—	Na_2SO_4
	岭69	13 874	43	29	5 097	336	17 971	3.74×10^4	—	Na_2SO_4

(二)油田污水

油(气)田水与石油、天然气一同被开采出来后，经过原油脱水工艺进行油水分离形成原油脱出水，天然气开采过程分离出游离水，这两部分共称为产出水。产出水保持了油(气)田水的主要特征，由于其具有高含盐(矿化度)、高含油的特性，直接外排将会造成环境污染，因此，产出水又通常叫做油田污水。实际上，油田污水不仅仅是油田产出水，还包括了石油、天然气勘探、开发、集输等生产作业过程中形成的各类污水，如钻井污水、油田酸化、压裂等作业污水以及注水管线、注水井清洗排污水等，但油田污水以产出水为主。

1. 采油污水

(1)来源。在油田的开发过程中，为了保持地层压力，提高原油采收率，普遍采用注水开发工艺，即注入的高压水驱动原油并将其从油井中开采出来。经过一段时间注水后，注入的水将和与原油天然伴生的地层水一起随原油被带出，随着注水时间的延长，采出流体含油率在不断下降，而含水率不断上升，这样便产生了大量的采油污水。

(2)特点。由于采油污水是随着原油一起从油层中被开采出来的，又经过原油收集及初加工整个过程。因此，采油污水中杂质种类及性质都和原油地质条件、注入水性质、原油集输条件等因素有关，这种水是一含有固体杂质、溶解气体、溶解盐类等多种杂质的废水。这种废水具有以下特点：

① 水温高。一般污水温度在 50 ℃左右。个别油田有所差异，如北方一油田为 60～70 ℃，西北一油田为 30 ℃左右。

② 矿化度高。不同油田及同一油田不同的污水处理站其矿化度有很大差异，低的仅有数百毫克/升，高的达数十万毫克/升。

③ 酸碱度在中性左右，一般都偏碱性。但有的油田偏酸性，如中原油田采油污水的 pH 值一般在 5.5～6.5。

④ 溶解有一定量的气体。如溶解氧、二氧化碳、硫化氢、烃类气体等，以及溶有一些环烷酸类等有机质。

⑤ 含有一定量的悬浮固体。如泥沙：包括黏土、粉沙和细沙；各种腐蚀产物及垢：包括 Fe_2O_3、CaO、FeS、$CaCO_3$、$CaSO_4$ 等；细菌：包括硫酸盐还原菌(SRB)、腐生菌(TGB)及铁细菌、硫细菌等；有机物：包括胶质沥青质类和石蜡类等。

⑥ 含有一定量的原油。以乳化油、分散油和原油的形式存在，以及一定量的胶体物质。

⑦ 残存一定数量的破乳剂。

2. 采气污水

(1)来源。在天然气开采过程中随天然气一起被采出的地层水称为采气污水。

(2)特点。与采油污水相比，采气污水较为"洁净"，量也较少。水中主要含有较高的氯离子和一些溶解气体。

3. 钻井污水

(1)来源。在钻井作业中，泥浆废液、起下钻作业产生的污水，冲洗地面设备及钻井工具而产生的污水和设备冷却水等统称为钻井污水。

(2)特点。钻井污水所含杂质和性质与钻井泥浆有密切的关系，即不同的油气田、不同的钻探区、不同的井深、不同的泥浆材料，在钻井过程形成的污水性质就不尽相同。一般钻井污水中的主要有害物质为悬浮物、油、铬和酚等。

4. 洗井污水

(1)来源。专向油层注水的注水井，经过一段时间运行后，由于注入水中挟带有未除净的或在注水管网输送过程中产生的悬浮固体(腐蚀产物、结垢物、黏土等)、油分、胶体物质以及细菌等杂质，在注水井吸水端面或注水井井底近井地带形成"堵塞墙"，从而造成注水井注水压力上升，注水量下降。需通过定期反冲洗，以清除"滤网"上沉积的固体及生物膜等堵塞物，使注水井恢复正常运行，从而便产生了洗井污水。

(2)特点。洗井污水是一种水质极其恶化的污水，表现为悬浮物浓度高、铁含量高、细菌含量高、颜色深，而且含有一定量的原油和 H_2S。

5. 油田作业废水

(1)来源。在原油、天然气的生产过程中，为提高原油、天然气的产量，通常要采用酸化、压裂等油田作业措施，在这过程中也会形成一定量的废液或污水。

(2)特点。这类废液或污水在油田污水中所占的比例不是很大，但由于其水质极为特殊、恶劣，因而，处理起来十分棘手。这类废液具有以下特点：① 悬浮物含量高，颜色深；② 含有一定量的残酸，水体呈酸性；③ 铁含量高；④ 胶体含量高；⑤ 油分含量高；⑥ 含有多种化学添加剂。

表 1-7、表 1-8、表 1-9、表 1-10 给出了注水井环形空间水、部分地区油田产出水、洗井回水及钻井、压裂混合废液的水质特性。

表 1-7　中原油田部分注水井环形空间水水质分析

| 注水井 | 组分(mg/L) | | | | | | | SRB (个／mL) | pH 值 |
	总矿化度	ΣFe	Fe^{2+}	悬浮物	含油	含硫	CO_2		
M47	6.4×10^4	21.6	16.1	50	504	80.5	—	10^4	6.5
P1-8	2 340	22.4	1.0	120	10.0	—		10^4	6.5
W145	3.6×10^4	54	—	409	92			10^4	—
W95-40	6.0×10^4	22	—	1 918	130			$>10^4$	—

注：SRB 为硫酸盐还原菌。

表 1-8　国内油田部分污水站产出水水质分析

| 污水站 | | 组分(mg/L) | | | | | | | SRB (个／mL) | pH 值 |
		总矿化度	ΣFe	Fe^{2+}	悬浮物	含油	含硫	CO_2		
中原	文一污	1.27×10^5	30.9	24.0	61.0	35.6	1.8	85	10^3	6.5
	文二污	8.5×10^4	67.5	60.0	73.0	37.5	2.3	130	10^4	6.0
	文三污	1.12×10^5	48.3	42.5	54.0	55.5	1.5	—	10^2	6.0
	濮一污	1.18×10^5	27.0	23.2	35.2	38.1	1.0	114	10^2	6.0
	濮二污	1.78×10^5	32.0	29.0	25.6	10.0	0.5	71	10^2	6.5
	濮三污	1.27×10^5	26.1	22.7	113.0	30.9	2.1	—	10^2	6.0
	明一联	1.02×10^5	25.6	21.7	34.0	56.4	3.5	—	10^2	6.0
	明二联	5.5×10^4	1.93	1.0	12.0	23.8	17.5	—	10^2	6.0
	胡状污	1.77×10^5	56.0	48.2	90.0	57.7	0.8	69	10^4	6.5
	胡二污	1.42×10^5	31.9	25.6	46.0	39.3	1.1	203	10^2	5.5
	桥口污	4.4×10^4	21.3	17.2	22.0	96.5	1.5	—	10^5	6.0
	马厂污	4.1×10^4	11.1	7.0	20.7	116	1.6	140	10^5	6.0
胜利	坨　四	1.1×10^4	0.48	—	—	—	0.08		10^4	8.0
	辛　一	3.6×10^4	6.24	—	—	—	0.02		0	7.1
	滨二首站	4.2×10^4	1.23	—	—	—	0.26		10^2	6.7
	临盘首站	2.1×10^4	0.80	—	—	—	0.06		10^4	7.8
	孤一联	5.0×10^3	0.61	—	—	—	0.00		10^2	8.1

表 1-9　中原油田注水井洗井回水水质分析

地　点	组分(mg/L)					SRB (个／mL)	pH 值
	总矿化度	ΣFe	CO_2	HCO_3^-	Ca^{2+}		
濮二污洗井水进口	8.0×10^4	41.5	154	171	1 578	10^2	5.5
文明污井水进口	6.0×10^4	5.7	154	142	952	$>10^4$	6.0
文二污井水进口	3.7×10^4	23.7	110	305	3 900	$>10^4$	6.0
文三污井水进口	7.3×10^4	31.9	119	313	4 900	10^2	6.0
胡状污井水进口	1.1×10^5	22.8	110	399	3 925	10	6.0
桥口污井水进口	4.0×10^4	6.8	40	354	2 050	10^2	6.5

表 1-10　中原油田钻井、压裂混合废液水质特征

外观	pH 值	滤膜系数	悬浮物(mg/L)	Fe^{3+}(mg/L)	ΣFe(mg/L)
黑浆状	6.0	测不出	500	15	50

从表中数据可以看出：不同油田、不同地区、不同的油田污水其性质差别较大，钻井废水、压裂废水水质最为恶劣，其次为注水井环形空间水以及洗井回水。

第二章　油田水处理技术

第一节　油田污水治理的意义

一、环境保护

我们知道，油田污水是在石油、天然气的勘探开发过程中不可避免的伴生物，它是一种含有固体杂质、液体杂质、溶解气体和溶解盐类等较复杂的多项体系。从污水处理的角度出发，油田污水中的杂质可以分为悬浮固体、胶体、分散油及浮油、乳化油和溶解物质等五大类。

(一)悬浮固体

其颗粒直径范围取 $1 \sim 100~\mu m$，因为大于 $100~\mu m$ 的固体颗粒在处理过程中很容易被沉降下来。此部分杂质主要包括：

(1)泥沙。$0.05 \sim 4~\mu m$ 的黏土，$4 \sim 60~\mu m$ 的粉沙和大于 $60~\mu m$ 的细沙。

(2)腐蚀产物及垢。Fe_2O_3、CaO、MgO、FeS、$CaSO_4$、$CaCO_3$ 等。

(3)细菌。硫酸盐还原菌(SRB)$5 \sim 10~\mu m$，腐生菌(TGB)$10 \sim 30~\mu m$。

(4)有机质。胶质沥青质类和石蜡等重质油类。

(二)胶体

胶体粒径为 $1 \times 10^{-3} \sim 1~\mu m$，主要由泥沙、腐蚀结垢产物和微细有机物构成，物质组成与悬浮固体基本相似。

(三)分散油及浮油

油田污水中一般含有 $2~000 \sim 5~000~mg/L$ 的原油，其中90%左右为 $10 \sim 100~\mu m$ 的分散油和大于 $100~\mu m$ 的浮油。

(四)乳化油

油田污水中有10%左右的 $1 \times 10^{-3} \sim 10~\mu m$ 的乳化油。

(五)溶解物质

(1)无机盐类。基本上以阳离子或阴离子的形式存在，其粒径都在 $1 \times 10^{-3}~\mu m$ 以下，主要包括 Na^+、K^+、Ca^{2+}、Mg^{2+}、Fe^{2+}、Cl^-、HCO_3^-、CO_3^{2-}、SO_4^{2-} 等，此外还包括环烷酸类等有机溶解物。

(2)溶解气体。如溶解氧、二氧化碳、硫化氢、烃类气体等，其粒径一般为 $3 \times 10^{-4} \sim 5 \times 10^{-4}~\mu m$。

油田污水由于含有上述有害物质，如不进行治理就排放出去将会对环境产生严重的影响：漂浮在水面上的原油将隔绝空气，降低水中的溶解氧，并黏附于水生生物体表和呼吸系统，将其致死。沉积于水底的油经过厌氧分解将产生硫化氢剧毒物。重质原油黏附于泥沙上,会影响水生生物的栖息和繁殖;油田污水中含有一些毒性大的有机物(如酚、有机酸等),会对水体及土壤造成污染;油田污水中的有机物和无机物(如脂肪、蛋白质、氨、磷等),是水中细菌的富营养物质,结果造成缓慢流动的水域水质恶化,变黑发臭;油田污水若污染了饮用水,其中的重金属元素(如铬、铅、镉等),进入人体后对脏腑产生严重损害;酸碱性的、高矿化度的油田污水,一旦灌入农田会导致土壤酸碱化、盐碱化,使农作物难以生长。

数量巨大也是油田污水的一大特征。例如,一个原油产量为 1 000 万 t/a、综合含水为 80% 的油田,仅产出水一项每年产生的油田污水就达 800 万 t。

表 2-1、表 2-2、表 2-3 分别列出了石油开发工业废水最高允许排放量、石油开发工业水污染物最高允许排放浓度等规定。由此可以看出,无论是从排放量、还是水质方面,都应对油田污水进行治理。

表 2-1　石油开发工业废水最高允许排放量

级　别	第一级	第二级
类　别	占废水总量的百分数(%)	占废水总量的百分数(%)
Ⅰ	10	20
Ⅱ	25	40

表 2-2　石油开发工业水污染物最高允许排放浓度(有毒、有害物质)

序号	项　目	最高允许排放浓度(mg/L)
1	汞及其无机化合物(按 Hg 计)	0.05
2	镉及其无机化合物(按 Cd 计)	0.1
3	六价铬化合物(按 Cr^{6+} 计)	0.5
4	砷及其无机化合物(按 As 计)	0.5
5	铅及其无机化合物(按 Pb 计)	1.0

表 2-3　石油开发工业水污染物最高允许排放浓度(一般有害物质)

序号	项　目	第一级		第二级	
		Ⅰ	Ⅱ	Ⅰ	Ⅱ
1	pH 值	6～9	6～9	6～9	6～9
2	石油类(mg/L)	10	10	30	30
3	悬浮物(mg/L)	100	200	200	500
4	挥发性酚(mg/L)	0.5	0.5	1	1
5	硫化物(mg/L)	1	1	1	5
6	化学需氧量	100	100	100	100

二、节约水资源

在油田企业的生产运行过程中，水的消耗量是巨大的。在油田用水中，注水采油用水占绝对数量。例如，中原油田目前原油年产量为 350 万 t，年产油田污水 2 000 万 m³，注水量为 11 万 m³/d，全年注水开发需水量为 4 015 万 m³。若污水全部回注，每年就可节约水资源 2 000 万 m³。原油产量更高的大型油田，注水开发需水量更是数量惊人。

可见，油田污水经过处理回注地层既缓解了水源缺乏的问题，又杜绝了污染环境，提高了水的循环利用率。同时，由于油田污水来源于地层，其与地层的配伍性优于其他水源，提高了注水开发效果。

第二节　油田注水水质标准

一、油田注水开发过程

油藏中的石油资源是通过钻遇油藏的油井开采出来的，不同的油藏类型、在不同的开采阶段，所采用的开发方式也不相同。油气藏开发方式是指在现有技术条件下，维持原油生产的驱油能量来源方式，其中包括利用天然能量及人工注水、注气保持压力等常规开发方式和热力开采、混相驱等非常规开发方式。一般来讲，在油藏的开发初期，储层中的原油是依靠地层自身的压力(能量)流向油井的，如果地层压力足够高，原油就会从油井中喷到地面而形成自喷井，这种采油方法称自喷采油法。

在油田开发过程中，有些油田由于地层能量逐渐下降，到一定时期地层能量就不能使油井保持自喷；有些油田则因为原始地层能量低或油稠一开始就不能自喷。油井不能保持自喷时，或虽能自喷但产量过低时，就必须借助机械的能量进行采油。目前采用的机械采油方法有深井泵采油和气举采油。

随着油藏中原油的不断开采，地层能量进一步下降，表现为油井液面下降甚至供油不足，油井产量急剧下降。通过注水井向油层注水补充能量，保持地层压力，增大储层向油井的供液量，恢复油井液面，是目前在提高采油速度和采收率方面应用得最广范的一项重要措施。油田的注水开发过程见图 2-1。

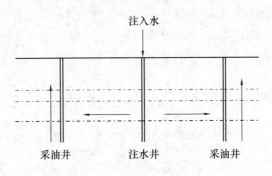

注入水

采油井　　注水井　　采油井

图 2-1　注水开发过程示意

二、油田注水水源的选择

(一)油田注水水源类型

目前国内外油田主要注水水源类型见表2-4。

表2-4 油田主要注水水源类型

水源类型	主要水源名称	水源性质
地下水	地层水	水量丰富，水质较好，水矿化度较高，并含有铁、锰等元素
地面水	江河水、湖泊水、水库水	江河水水量丰富，水矿化度低，泥沙含量大；湖泊、水库水泥沙含量较江河水少，但由于水中溶解氧充足，水生动植物大量繁殖，常带有异常气味和胶体
油田采出水	油田污水	矿化度高，一般偏碱性(有的地区偏酸性)
海水	海水	水源丰富，含盐量高
工业污水	污水	水中成分复杂，处理难度大

(二)选择油田注水水源的原则

(1)优先利用油田采出水，减少环境污染，节约水资源。

(2)在采出水不足的情况下，再找第二水源，其水源要符合以下原则：① 必须能够供给充足的水量；② 有良好的水质，与地层配伍、水质稳定，水处理工艺简单；③ 如果必须两种或多种水混合使用，应做结垢计算和可混性试验。

三、油田注水水质标准

不同的行业，不同的应用领域，对所用水源水质有相应的要求。油田注水的目的是通过一系列注水管网、注水设备及注水井将水注入地层，使地层保持能量，提高采油速度和原油采收率。因此，油田注水的水质要求有其特殊性，在水质指标方面，与其他行业的侧重点不同。根据油田注水的特殊用途，对油田注水水质的要求或油田注水水质处理应达到的指标主要包括以下三个方面。

1. 注入性

油田注入水的注入性是指注入水注入地层(储层)的难易程度。在储层物性(如渗透率、孔隙结构等)相同的条件下，悬浮固体含量低、固相颗粒粒径小、含油量低、胶体含量少的注入水易注入地层，其注入性好。地层物性条件差，如渗透率低、孔喉半径小，注入水就难以注入。当油田注水水质处理效果不好，注入水中含有较多的悬浮固体、油污和胶体时，极易在注水井吸水端面造成沉积堵塞，使注水压力上升，甚至注不进水。

2. 腐蚀性

油田注水的实施经历以下过程：

注水水源 → 污水处理站 → 注水站 → 注水井

在油田注水的实施过程中，在地面，涉及到注水设备(如注水泵)，注水装置(如沉降罐、过滤罐等)，注水管网；在地下，涉及到注水井油套管等，这些设备、管网、装置等大多是金属材质。因此，注入水的腐蚀性不仅会影响注水开发的正常运行，而且还会影响油田注水开发的生产成本。例如，中原油田曾由于腐蚀、结垢等原因，造成注水井油套管损坏、注水管线穿孔、注水设备腐蚀报废引起的直接经济损失每年高达数亿元。

影响注入水腐蚀性的主要因素见表2-5。由表2-5可以看出，水的腐蚀性影响因素多并且各种因素之间相互影响。

表 2-5　影响注入水腐蚀性的主要因素

因素	描　　述
pH 值	在无氧条件下，水中 pH 值降低加剧腐蚀。pH 值较高时，铁表面被 $Fe(OH)_2$ 或 $FeCO_3$ 所覆盖形成保护膜，从而减轻了腐蚀。但在碱性水中，特别是水温较高时，会造成垢下腐蚀。在有氧条件下，pH 值为 6~8 时，腐蚀主要影响因素是氧，pH 值对腐蚀的影响不大
含盐量	水中含盐量高时，水的导电性能好，加剧腐蚀，主要是氯离子影响
溶解氧	氧是引起腐蚀的主要因素，在含氧量高、温度高、pH 值低时，其腐蚀作用大大加剧
CO_2	CO_2 溶入水会降低 pH 值，从而加剧腐蚀
H_2S	H_2S 在酸性或中性水中，分解成 S^{2-}，S^{2-} 与 Fe^{2+} 反应生成 FeS 沉淀物，促使阳极反应不断进行，引起比较严重的腐蚀
细菌	硫酸盐还原菌的繁殖可使 H_2S 含量增加，加剧腐蚀
水温	一般情况下，水温高，腐蚀速度大

3. 配伍性

油田注入水注入地层(储层)后，在地层内部由注水井向采油井方向流动，在流动过程中，驱动储层中的油、水一并流向油井井底。注入水与储层中的地层水、矿物质等接触，将会发生一系列的物理化学作用。如果作用结果不影响注水效果或不使储层的物理性质如渗透率变差，则称油田注入水与储层的配伍性好。否则，油田注入水与储层的配伍性差。

油田注入水与储层的配伍性，主要表现为结垢和矿物敏感性两个方面，它们都会造成储层伤害，影响注水量、原油产量及原油采收率。

(1)结垢。油气储层是一个高温高压，气、液、固多相介质并存的体系。在这样的条件下，注入水自身可能会产生结垢。注入水与储层中的地下水不相容，发生化学作用而产生结垢沉淀。例如，含有一定量的 Ca^{2+}、HCO_3^- 的注入水，在地面时，水温较低，不会形成 $CaCO_3$ 垢。但进入地下后，由于水温上升，就有可能形成 $CaCO_3$ 垢。如果向地下水中含 Ba^{2+} 离子的地层注入含 SO_4^{2-} 离子的水时，就极有可能产生 $BaSO_4$ 垢。

长庆马岭油田南区与安塞油田地层水中普遍含有 Ba^{2+}，平均含量为 400~500 mg/L，个别井高达 1 600 mg/L。而作为油田注入水的白垩系洛河层水，水中 SO_4^{2-} 离子的含量为 1 051 mg/L，这两种水是严重不相容的，在注水过程中，会导致在地层内形成 $BaSO_4$ 垢。事实上，调查中发现高含 Ba^{2+} 的见水油井均不含 SO_4^{2-}，显然 SO_4^{2-} 损失在地层，这就预示了地层结垢的可能性。

(2)矿物敏感性。油气层中的黏土矿物在原始的地层条件下，一定矿化度的环境中处于稳定状态，当淡水进入地层时，某些黏土矿物就会发生膨胀、分散、运移，从而减少或者堵塞地层孔隙和喉道，造成渗透率的降低，此为水敏。

不同水源的油田注入水具有不同的矿化度，有的低于地层水矿化度，有的高于地层水矿化度。当高于地层水矿化度的水进入油气层后，可能引起黏土的收缩、失稳、脱落；当低于地层水矿化度的水进入油气层后，可能引起黏土的膨胀和分散。这些都将导致油气层孔隙空间和喉道的缩小及堵塞，引起渗透率下降，从而伤害油气层，此为盐敏。

通过水敏试验、盐敏试验，可对注入水与储层的配伍性作出评价。

水敏程度评价指标见表2-6。

表2-6　水敏程度评价指标

伤害程度(K_w / K_f)	≤0.3	0.3 ~ 0.7	≥0.7
敏感程度	强	中等	弱

注：K_w为用淡水测得的岩心渗透率；K_f为用地层水测得的岩心渗透率。

四、碎屑岩油藏注水水质推荐指标

(一)油田注水水质指标

1. 悬浮物

悬浮物(固体)通常是指在水中不溶解而又存在于水中不能通过过滤器的物质。在测定其含量时，由于所用的过滤器的孔径不同，对测定的结果影响很大。SY/T5329—94标准规定：油田注水中的悬浮固体是指采用平均孔径0.45 μm的纤维素脂微孔膜过滤，经汽油或石油醚溶剂洗去原油后，膜上不溶于油、水的物质。

悬浮物(固体)的含量以及粒径大小与注入水的注入性密切相关。一方面，注入水中的悬浮物会沉积在注水井井底，造成细菌大量繁殖，腐蚀注水井油套管，缩短注水井使用寿命；另一方面，造成注水地层堵塞，使注水压力上升，注水量下降，甚至注不进水。

不同的储层，对注水水中悬浮物(固体)的含量以及粒径大小要求也不同。悬浮物颗粒直径和储层喉道直径成什么比例才能使水顺利注入储层，报道说法不一。通常认为：悬浮物颗粒直径小于储层孔隙喉道直径的1/10，没有堵塞作用；在1/10~1/3时对地层堵塞最大；如果大于1/3时，在注水井井壁表面造成堵塞，但容易解堵。

从理论上讲，注入水中悬浮物(固体)的含量越低、粒径越小，其注入性就越好，但其处理难度就越大、处理成本也就大大增加。所以，注入水中悬浮物(固体)的含量以及粒径大小指标应从储层实际需要、技术可行性与经济可行性三方面来综合考虑。

2. 油分

注入水中的油分产生的危害与悬浮固体类似，主要是堵塞地层，降低水的注入性。

从油田污水处理角度出发，参考胶体化学及给水处理水中杂质分散度的划分方法，油田污水中的油分按油珠粒径大小可分为四类：

(1)浮油。粒径大于100 μm，按斯托克斯公式计算，上浮时间仅为2.1 min，污水原水中此部分油量一般占总油量的25%~50%，它很容易被去除。

(2)分散油。粒径为10~100 μm，污水中此部分油珠尚未形成水化膜，还有相互碰撞变大的可能,靠油、水相对密度差可以上浮去除,但需要时间要长,一般至少 4 h 以上,为加快油珠上浮速度,在污水处理时也要加混凝剂。

(3)乳化油。粒径为 $10^{-3} \sim 10 \mu m$,具有一定的稳定性,单纯用静置沉降法无法去除,必须加混凝剂。

(4)溶解油。粒径小于 $10^{-3} \mu m$,一般原水中此部分油量仅占总油量的 1% 以下,在处理过程中也有一定比例的去除,但不作为污水处理的主要对象。在净化水中主要含这部分油。

3. 平均腐蚀率

注水开发过程是一个庞大的系统工程,涉及到的金属材质的设备、管网、油套管等数量众多,投资巨大。所以,注入水的腐蚀性直接影响着油田注水生产的正常运行和运行成本。国内外注水开发油田实践表明,减缓注入水的腐蚀性,对于提高油田注水开发的经济效益意义重大。

影响注入水腐蚀性的因素较多,如溶解氧、二氧化碳、硫化氢、细菌、pH 值以及水温等。因此,在某些油田,将溶解氧、二氧化碳、硫化氢、细菌、pH 值以及水温等这些与水的腐蚀性密切相关的因素,单列为注水水质专项指标。

4. 膜滤系数

膜滤系数表征了注入水的注入性。在美国腐蚀工程师学会 NACE TM0173 "利用薄膜过滤试验仪测定注入水水质的方法"中,膜滤系数的定义是:在 0.14 MPa 压力下,通过 0.45 μm 微孔滤膜的水量与流过时间的比值。计算公式如下:

$$MF = \frac{V}{20t} \tag{2-1}$$

式中　MF——膜滤系数;

　　　V——通过滤膜的水的体积,mL;

　　　t——流过时间,min。

注入水膜滤系数的大小与许多因素有关。如悬浮物(固体)的含量以及粒径大小、含油量、胶体与高分子化合物浓度等。膜滤系数越大,注入水的注入性就越好。

5. 溶解氧

在油田产出水中本来仅含微量的氧,但在后来的处理过程中,与空气接触而含氧。浅井中的清水、地表水含有较高的溶解氧。

油田水中的溶解氧在浓度小于 0.1 mg/L 时就能引起碳钢的腐蚀。室温下,在纯水中碳钢的腐蚀速率小于 0.04 mm/a;如果水被空气中的氧饱和后,腐蚀速率增加很快,其初始腐蚀速率可达 0.45 mm/a。

氧气在水中的溶解度是压力、温度及含盐量的函数,氧气在盐水中的溶解度小于在淡水中的溶解度。然而,在含盐量较高的水中溶解氧对碳钢的腐蚀将出现局部腐蚀,腐蚀速率可高达 3 ~ 5 mm/a。

6. 二氧化碳

在大多数天然水中都含有溶解的 CO_2 气体。油田采出水中 CO_2 主要来自三个方面:① 由地层中地质化学过程产生;② 为提高原油采收率而注入 CO_2 气体;③ 采出水中

HCO_3^- 减压、升温分解。

CO_2 在水中的溶解度与压力、温度以及水的组成有关，压力增加溶解度增大，温度升高溶解度降低。当水中有游离 CO_2 存在时，水呈弱酸性。CO_2 分压及温度对水的 pH 值都有影响。相同温度下，CO_2 分压越大水的 pH 值越低；同一压力下，温度越低水的 pH 值也越低。

游离 CO_2 在水中产生的弱酸性反应为：$CO_2 + H_2O \rightarrow H^+ + HCO_3^-$。从腐蚀电化学的观点看，游离 CO_2 腐蚀就是含有酸性物质引起的氢去极化腐蚀。

当温度升高时，碳酸电离度增大，腐蚀速度增加，CO_2 分压增大，腐蚀速度也增大。当水中同时含有 O_2 和 CO_2 时，由于 CO_2 使水呈酸性，破坏氧化产物所形成的保护膜，此时，钢材的腐蚀就更加严重，这种腐蚀的特征是金属表面没有腐蚀产物，腐蚀速度很快。

7. 硫化氢

硫化氢在常温常压下是一种较易溶于水的气体。在油田水中往往含有硫化氢，它一方面来自含硫油田伴生气在水中的溶解，另一方面来自硫酸盐还原菌分解。

含硫化氢的水具有一定的腐蚀性，而含硫化氢的盐水腐蚀性更强。硫化氢的腐蚀产物为硫化亚铁，其溶度积很小，是一类难溶沉淀物，含有大量悬浮的硫化亚铁的水称为"黑水"。

8. 细菌

在适宜的条件下，大多数细菌在污水系统中都可以生长繁殖，其中危害最大的为硫酸盐还原菌(SRB)、粘泥形成菌(也称腐生菌或细菌总数)以及铁细菌。

1)硫酸盐还原菌

硫酸盐还原菌是一类在厌气条件下能将硫酸盐还原成硫化物的细菌。硫酸盐还原菌包括脱硫弧菌属中的几种菌和梭菌属中的一种致黑芽梭菌。这几种菌的差别仅仅在于它们所氧化的有机质不同。

硫酸盐还原菌生长的 pH 值范围很广，一般为 5.5～9.0，最佳为 7.0～7.5。该细菌的生长温度随品种而异，分中温及高温两种。中温型的为 20～40 ℃，最适宜的温度为 25～35 ℃，高于 45 ℃停止生长，属于该温度生长的菌为硫酸弧菌属中的一种无芽孢脱硫弧菌。高温型的最适宜温度为 55～60 ℃，属于该温度生长的菌主要是脱硫弧菌属中一种有芽脱斑脱硫弧菌。

硫酸盐还原菌在自然界中普遍存在着，在海水、淡水、土壤和岩石中到处都有。总之，凡在厌气环境中，在适宜的温度下都有可能存在。

绝大多数注水开发的油田集输系统中均存在硫酸盐还原菌(SRB)，硫酸盐还原菌的繁殖可使系统 H_2S 含量增加，腐蚀产物中有黑色的 FeS 等存在，导致水质明显恶化，水变黑、发臭，不仅使设备、管道遭受严重腐蚀，而且还可能把杂质引入油品中，使其性能变差。同时，FeS、$Fe(OH)_2$ 等腐蚀产物还会与水中成垢离子共同沉积成污垢而造成堵塞，此外，硫酸盐还原菌菌体聚集物和腐蚀产物随注水进入地层还可能引起地层堵塞，造成注水压力上升，注水量减少，直接影响原油产量。

2)粘泥形成菌(腐生菌)

在某些特定环境下，很多细菌都可以形成黏膜附着在设备或管线内壁上，也有些悬浮在水中，凡是能够形成黏膜的细菌我们都称为粘泥形成菌。该菌类为好气菌，国内习惯叫腐生菌。

粘泥形成菌种类很多，它们既可以是有芽孢细菌，也可以是无芽孢细菌。常见的有假单孢杆菌科(*Pseudomonas*)、肠杆菌科(*Enterobacteriaceae*)、微球菌科(*Micrococcus*)和芽孢杆菌科(*Bacillus*)，铁细菌也与粘泥形成菌在一起形成黏膜。

粘泥形成菌为异养型好气菌，它们从乙醇糖类等有机物中获取能量。

粘泥形成菌属于多科的细菌，无法根据各种细菌的特性来鉴别。因此，采用细菌总数计数法来衡量该菌是否会引起危害或引起危害的程度。实际分析细菌总数时，都以腐生菌含量多少为依据。一般认为腐生菌总数低于 10^4 个/mL 不会引起大的问题。

大多数污水系统中都能满足该菌类对温度及营养的要求，因此出现这类菌的现象很普遍。该菌类多数是存在于低矿化度(<5 000 mg/L)开式污水处理流程的污水及注水系统中。但在高矿化度或闭式污水及注水系统中，也有此类细菌存在，具体存在部位如下：

(1)在低矿化度含油污水处理系统中，以及含油污水与地面水或地下水混注系统中。因为这时有溶解于水中的氧气或混注时从清水中带入的氧气，有的含油污水中本来存在糖类、醇类和磷等细菌生长繁殖所需的养料。再加上污水具有适宜细菌生长的温度，特别是混注水的温度一般为 25～35 ℃，因此腐生菌便大量繁殖。大量繁殖的结果使其形成了细菌膜，水中的悬浮物及肉眼可见物大为增加，从而堵塞注水系统及地层。

(2)在开式污水处理站的除油罐、缓冲罐及过滤罐中也有此类细菌。白膜为腐生菌，黑色黏状物是硫酸盐还原菌，橘黄色的是铁细菌。

3)铁细菌

铁细菌一般生活在含氧少但溶有较多铁质和二氧化碳的弱酸性水中，在碱性条件下不易生长。它们能将细胞内所吸收的亚铁氧化为高铁，从而获得能量，其反应如下：

$$4FeCO_3 + O_2 + 6H_2O \longrightarrow 4Fe(OH)_3 + 4CO_2 + \text{能量}$$

式中以碳酸盐为碳素来源，反应产生的能量很小。它们为了满足对能量的需要，必须要有大量的高铁，如 $Fe(OH)_3$ 的形成。这种不溶性铁化合物排出菌体后就沉积下来，并在细菌周围形成大量棕色粘泥，从而引起管道堵塞，同时它们在铁管管壁上形成锈瘤细节，产生点蚀。

4)硫细菌

硫细菌为一种好气性细菌，在无氧情况下不能生长，反之在氧非常多的环境中也不能生长，一般经常在氧与硫化氢同时存在的微好气环境中发现。

硫细菌特别是硫杆菌属能把硫、硫化物或硫代硫酸盐氧化成硫酸，甚至在局部区域中生成相当于质量分数为 10%的硫酸，使 pH 值降到 1.0～1.4，从而对铁管或水泥管产生腐蚀破坏。

$$2H_2S+O_2 \longrightarrow 2S+2H_2O+342.8 \text{ kJ}$$

$$2S+3O_2+2H_2O \longrightarrow 2H_2SO_4+493.2 \text{ kJ}$$

$$Na_2S_2O_3+2O_2+H_2O \longrightarrow Na_2SO_4+H_2SO_4$$

硫细菌也常与铁细菌共存。硫细菌产生黏质膜也可能堵塞管道，并使水发生臭气。冷却水中硫细菌的控制指标是小于 10^3 个/mL。

(二)油田注水水质指标的制定

注水水质标准是衡量水质好坏的尺度，是水质处理和注水管理必须遵守的准则。制定注水水质标准主要依据油藏地质特征、水质情况及处理工艺水平。首先，合乎水质标准的水能注进油层，注水量能保持相当长一段时间稳定，水对设备和管线腐蚀轻。其次，采用先进的水处理工艺，水处理后能够达到制定的水质标准，经济效益好。总之，制定注水水质标准，要兼顾油田注水开发需要、处理工艺水平和经济效益。

在各油田注水中，早期实施的注水水质标准只对含铁量、悬浮物、含油作了规定，后在室内大量试验研究和现场验证的基础上，补充完善了注水水质标准，制定了 SY/T5329—94《碎屑岩油藏注水水质推荐指标及分析方法》，具体指标见表 2-7。

1. 注水水质主要控制指标

主要控制指标见表 2-7。

表 2-7　注水水质主要控制指标

	注入层平均空气渗透率 (μm²)	<0.1			0.1 ~ 0.6			>0.6		
	标准分级	A1	A2	A3	B1	B2	B3	C1	C2	C3
控制指标	悬浮固体含量(mg/L)	<1.0	<2.0	<3.0	<3.0	<4.0	<5.0	<5.0	<6.0	<7.0
	悬浮物颗粒直径中值(μm)	<1.0	<1.5	<2.0	<2.0	<2.5	<3.0	<3.0	<3.5	<4.0
	含油量(mg/L)	<5.0	<6.0	<8.0	<8.0	<10	<15	<15	<20	<30
	平均腐蚀率(mm/a)	<0.076								
	点腐蚀	A1、B1、C1 级：试片各面都无点腐蚀 A2、B2、C2 级：试片有轻微点蚀 A3、B3、C3 级：试片有明显点蚀								
	硫酸盐还原菌(个/mL)	0	<10	<25	0	<10	<25	0	<10	<25
	铁细菌(个/mL)	$n \times 10^2$			$n \times 10^3$			$n \times 10^4$		
	腐生菌(个/mL)	$n \times 10^2$			$n \times 10^3$			$n \times 10^4$		

注：1. $1.1 < n < 10$;
　 2. 清水水质指标中去掉含油量。

2. 注水水质辅助指标

辅助性指标包括：溶解氧、硫化氢、侵蚀性二氧化碳、铁、pH 值等。

(1)水质的主要控制指标已达到注水要求，注水又较顺利时，可以不考虑辅助性指标；如果达不到要求，为查其原因可进一步检测辅助性指标。

(2)水中有溶解氧时可加剧腐蚀。当腐蚀率不达标时，应首先检测溶解氧，油层采出水中溶解氧浓度最好是小于 0.05 mg/L，不能超过 0.10 mg/L。清水中的溶解氧要小于 0.50 mg/L。

(3)侵蚀性二氧化碳含量等于零时此水稳定；大于零时此水可溶解碳酸钙并对注水设施有腐蚀作用；小于零时有碳酸盐沉淀出现。

侵蚀性二氧化碳含量范围为：$-1.0\ \text{mg/L} \leqslant c(CO_2) \leqslant 1.0\ \text{mg/L}$。

(4)系统中硫化物增加是细菌作用的结果。硫化物过高的水可导致水中悬浮物增加。清水中不应含硫化物，油层采出水中硫化物浓度应小于 2.0 mg/L。

(5)水的 pH 值应控制在 7 ± 0.5 为宜。

(6)水中含二价铁时，由于铁细菌作用可将二价铁转化为三价铁而生成氢氧化铁沉淀；当水中含有硫化物(S^{2-})时，可生成 FeS，使水中悬浮物增加。

3. 标准分级及使用说明

(1)从油层的地质条件出发，将水质指标按渗透率小于 $0.1\ \mu m^2$、渗透率为 $0.1 \sim 0.6\ \mu m^2$、渗透率大于 $0.6\ \mu m^2$ 分为三类。由于目前水处理站的工艺条件和技术水平有差异，对标准的实施有困难，所以又将每类标准分为三级要求。

(2)新建的注水处理站和新开发的油藏，其注水水质应根据油层的渗透率要求分别执行一级(A1、B1、C1)标准。

(3)对实际处理能力已超过原设计处理能力及建站时间较长需要改造的水处理站，根据油层渗透率可暂时执行相应的二级或三级标准。

第三节　油田水主要处理技术

一、除油

油田污水中的大部分油分是依靠物理法去除的。目前油田常用的物理除油装置有立式(重力式)除油罐、立式斜板除油罐及气浮除油装置。

(一)立式(重力式)除油罐

立式(重力式)除油罐是一种重力分离型除油构筑物，其主要结构如图 2-2 所示。含油污水经进水管流入罐内中心筒(混凝除油时为旋流反应筒)，经配水管流入沉降区。水中粒径较大的油珠在油水相对密度差的作用下首先上浮至油层，粒径较小的油粒随水向下流动。在此过程中，一部分小油粒由于自身在静水中上浮速度不及水流速度梯度的推动，不断碰撞聚结成大油粒而上浮，无上浮能力的部分小油粒随水进入集水管，经出水系统流出除油罐。

油田污水处理多年统计资料表明，若除油罐进水中含油量不超过 5 000 mg/L，自然除油的去除率可达95%以上；混凝除油的出水含油量不超过 100 mg/L，油去除率可高达 98%以上。

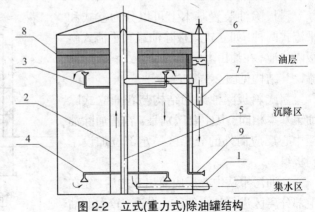

图 2-2　立式(重力式)除油罐结构

1—进水管；2—中心筒；3—配水管；4—集水干管；5—集水总干管；
6—出水箱；7—出水管；8—集油槽；9—出油管

(二)斜板除油

斜板(包括斜管，下同)除油是目前常用的高效除油方法之一，它属于物理法除油，是一种重力分离技术。

1. 斜板除油的基本原理

斜板除油的基本原理是"浅层沉淀"，又称"浅池理论"。按照"浅池理论"，含油污水在重力分离池中的分离效率为：

$$E = \frac{u}{Q/A} = \frac{ut}{H} \tag{2-2}$$

式中　E——油珠颗粒的分离效率；

u——油珠颗粒的上浮速度；

Q——处理流量；

A——除油设备水平工作面积；

t——油珠颗粒分离时间；

H——除油设备的高度。

由式(2-2)可见，重力分离除油设备的除油效率是其分离高度的函数，减小除油设备的分离高度，可以提高除油效率。在其他条件相同时，除油设备的分离高度越小，油珠颗粒上浮到表面所需要的时间就越短，这就是所谓的"浅池理论"。因此，在油水分离设备中加设斜板，可增加分离设备的工作表面积，缩小分离高度，从而提高油珠颗粒的去除效率。

在理论上，加设斜板不论其角度如何，其去除效率提高的倍数，相当于斜板总水平投影面积比不加斜板的水面面积所增加的倍数。当然，实际效果不可能达到理想的倍数，这是因为存在着斜板的具体布置、进出水流的影响、板间流态的干扰和积油等因素。但是，由于斜板的存在，增大了湿周，缩小了水力半径，因而雷诺数(Re)较小，这就创造了层流条件，水流较平稳，同时弗汝德数(Fr)较大，更有利于油水分离，这就是斜板除油所以成为高效设备的道理。

2. 斜板除油装置

斜板除油装置基本上可以分为立式和平流式两种，如立式斜板除油罐和平流式斜板隔油池。在油田上常用的是立式斜板除油罐，其结构见图2-3。

立式斜板除油罐的结构与普通立式除油罐基本相同，其主要区别是：在普通除油罐中心反应筒外的分离区一定部位加设了斜板组。

含油污水从中心反应筒出来之后，先在上部分离区进行初步的重力分离，较大的油珠颗粒先行分离出来，然后污水通过斜板区，油水进一步分离。分离后的污水在下部

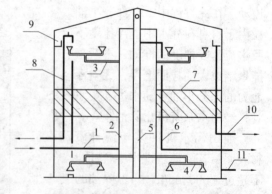

图2-3　立式斜板除油罐构造

1—进水管；2—中心反应筒；3—配水管；4—集水管；
5—中心柱管；6—出水管；7—波纹斜板组；
8—溢流管；9—集油槽；10—出油管；11—排污管

集水区流入集水管，汇集后的污水由中心柱管上部流出除油罐。在斜板区分离出的油珠颗粒上浮到水面，进入集油槽后由出油管排出到收油装置。

油田使用立式斜板除油罐的实践证明，在除油效率相同的条件下，与普通立式除油罐相比，同样大小的除油罐的除油处理能力可提高 1.0 ~ 1.5 倍。

二、混凝处理

油田含油污水中包括一定量粒径在 10 μm 以下的乳化油。此外在水中还含有一定量的由胶质沥青质、油层带出的泥沙、钻井泥浆、腐蚀产物等固体流质形成的胶体物质，这些胶体又往往包括在乳化油中，统称为乳化物。因乳化油占的比例大一些，所以也可把此种乳化物称为乳化油。

油田含油污水在经自然除油后，污水中的一般浮油全部去除，粒径在 10 μm 以上的分散油也大部分去除，水中主要含有乳化油及小颗粒的悬浮物。天然水中除含泥沙外，通常还含有颗粒很细的尘土、腐殖质以及菌藻等微生物。油田含油污水、天然水中的这些杂质与水形成溶胶状态的胶体微粒，由于布朗运动和静电排斥力而呈现沉降稳定性和聚合稳定性，通常不能利用重力自然沉降的方法除去。因此，必须添加混凝剂，以破坏溶胶的稳定性，使细小的胶体微粒凝聚再絮凝成较大的颗粒而沉淀。

传统的水处理理论，把上述细小的胶体微粒通过聚集作用而形成可分离的大颗粒的过程称为混凝，混凝又是由凝聚和絮凝两部分组成的。能引起胶粒凝聚的药剂称为凝聚剂，能引起胶粒产生黏结架桥而发生絮凝作用的药剂称为絮凝剂。

在国际标准化组织(International Organization for Standardization，简称 ISO)关于水质词汇规定的术语和定义中，对絮凝的概念作出了明确解释。ISO 6107—1《水质词汇—第一部分》对有关水的絮凝规定的标准术语和定义如下：

(1)絮凝(作用)(flocculation)。指细小的颗粒通过聚集作用而形成可分离的大颗粒，通常是借助于机械、物理、化学或生物的方法进行。

(2)絮凝体(floc)。指液体中因絮凝作用而形成肉眼可见的颗粒，通常可借助重力或浮选作用加以分离。

由此可以看出，国际标准化组织关于水质词汇规定的术语和定义把传统的水处理理论中的凝聚剂和絮凝剂统称为絮凝剂。为适应国内读者的习惯，本书继续沿用传统的水处理理论的定义，同时给出了国际标准化组织关于水质词汇规定的术语和定义，意在提醒读者今后尽可能使用国际上通行的术语。

(一)混凝的基本原理

1. 水溶胶和双电层机理

水溶胶中的胶体物质就是上述的一些杂质。它们由几十到数千个分子结合而成微粒。这些微粒不溶于周围的水中而构成水溶胶粒子的核心，称为胶核。胶核表面上拥有一层粒子，称为电位离子。电位离子有时是胶核表层部分电离而成的，有时是被胶核从水中吸附来的。胶核因电位离子而带有电荷，同类胶核带有相同的电位离子，因而有相同的电荷。由于同性相斥，使胶体微粒相互不能凝聚而保持沉降稳定性。

胶核表面的电位离子层通过静电作用又将水中电荷符号相反的离子吸附到胶核周

围，该类离子称为反离子，其电荷总量与电位离子相等而符号相反。这样，在胶核与周围水溶液的相间界面区域形成了双电层。其内层是胶核固相的电位离子层，外层是液相中的反离子层。电位离子同胶核结合紧密，很难分开；而反离子只是由静电引力与胶核相结合，因此较松散。在热运动等影响下，反离子还会脱离胶核向溶液中扩散，达到平衡时，形成的是疏松分布的反离子层。其中能同胶核一起运动的部分反离子，由于靠近胶核，吸附较牢，成为反离子吸附层(又称紧密层)；而另一部分离子距胶核稍远，不随胶核一起运动，称为反离子扩散层，如图 2-4 所示。

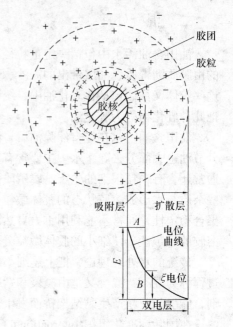

图 2-4　胶体微粒结构和双电层

胶核与电位离子层和反离子吸附层三者构成一体称为胶粒，如把反离子扩散层也包括在内，则称为胶团。

2. 电解质对双电层的作用机理

胶团中反离子吸附层的厚度一般很薄，只有单层或数层的离子，而反离子扩散层却要厚得多，其厚度与水中的离子强度有关，离子强度越大，厚度愈小。而高价离子对扩散层厚度影响更大。当扩散层厚度减小时，ξ 电位也随之降低。

电解质加到水溶胶中，由于同号离子间的相互排斥作用以及高价离子的离子交换和吸附作用，使胶团的扩散层压缩，ξ 电位降低，胶粒间的排斥作用减弱，水溶胶体系的稳定性变差。这时，胶体之间通常会发生凝聚。当 ξ 电位降为零时，溶胶最不稳定，也就是凝聚作用最剧烈。

3. 吸附架桥作用机理

当加入少量高分子电解质时，不仅使胶体的稳定性破坏而凝聚。同时又进一步形成絮体，这是因为胶粒对高分子物质有强烈的吸附作用。高分子长链物一端可能吸附在一个胶体表面上，而另一端又被其他胶粒吸附，形成一个高分子链状物，同时吸附在两个以上胶粒表面上。此时，高分子长链像各胶粒间的桥梁，将胶粒连接在一起，这种作用称为黏结架桥作用，它使胶粒间形成絮体，最终沉降下来，从而从水中除去这些胶体杂质，如图 2-5 所示。

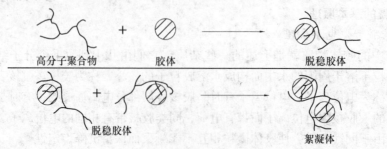

图 2-5　高分子聚合物的吸附架桥作用

4. 沉淀物卷扫作用机理

当水中投加较多的铝盐或铁盐等药剂时，铝盐或铁盐在水中形成高聚合度的氢氧化物，可以吸附卷带水中胶粒而沉淀，这种现象称为沉淀物卷扫作用。

(二)影响混凝的因素

影响混凝效果的因素包括污水水质、混凝剂的性质及水力条件。

1. 污水水质对混凝效果的影响

污水的 pH 值、水温、浊度及共存杂质等都会影响混凝效果。

(1)浊度。浊度过高或过低都不利于混凝，浊度不同，所需的混凝剂用量也不同。

当水中浊度较低时，颗粒细小而均一，投加的混凝剂量又少时，仅靠混凝剂与悬浮微粒之间相互接触，很难达到预期的混凝目的，必须投加大量的混凝剂，形成絮凝体沉淀物，依靠卷扫作用除去微粒。即使这样，效果仍不十分理想。

当水中浊度较高时，混凝剂投加量要控制适当，使其恰好产生吸附架桥作用，达到混凝效果。若投加过量，此时已脱稳的胶粒又重新稳定，效果反而不好，除非再增加投入量，形成卷扫作用。这样又会增加药剂费用。

对于高浊度的水，混凝剂主要起吸附架桥作用，但随着水中浊度的增加，混凝剂的投加量也相应增大，才能达到完全混凝的目的。

水中如果存在大量的有机物质，它们会吸附到胶粒表面，使胶粒反而增加稳定性，混凝效果就差。

(2)pH 值。在混凝过程中，都有一个相对最佳的 pH 值存在，使混凝反应速度最快，絮体溶解度最小。此 pH 值可通过试验确定。以铁盐和铝盐混凝剂为例，pH 值不同，生成水解产物不同，混凝效果也不同。且由于水解过程中不断产生 H^+，因此，常常需要添加碱来使中和反应充分进行。

(3)水温。由于无机盐类混凝剂溶于水时系吸热反应，因此，水温低时不利于混凝剂的水解。另外，水温低，水的黏度大，水中胶粒的布朗运动强度减弱，彼此碰撞的机会减少，不易凝聚。同时水的黏度大时，水流阻力增大，使絮凝体的形成长大受到阻碍，从而影响混凝效果。

(4)共存杂质。有些杂质的存在能促进混凝过程。如除硫、磷化合物以外的其他各种无机金属盐，均能压缩胶体粒子的扩散层厚度，促进胶体絮凝，且浓度越高，促进能力越强，并可使混凝范围扩大。而有些物质则会不利于混凝的进行，如磷酸离子、亚硫酸离子、高级有机酸离子会阻碍高分子絮凝作用。另外，氯、螯合物、水溶性高分子物质和表面活性物质都不利于混凝。

2. 混凝剂对混凝效果的影响

混凝剂种类、投加量和投加顺序都对混凝效果产生影响。

(1)混凝剂种类。混凝剂的选择主要取决于胶体和细微悬浮物的性质、浓度。如水中污染物主要呈胶体状态，且 ξ 电位较高，则应先投加无机混凝剂使其脱稳凝聚，如絮体细小，还需要投加高分子混凝剂或配合使用活性硅酸等助凝剂。很多情况下，将无机混凝剂与高分子混凝剂并用，可明显提高混凝效果，扩大应用范围。对于高分子混凝剂而言，链状分子上所带电荷量越大，电荷密度越高，链状分子越能充分延伸，吸附架桥的空间范围也就越来越大，絮凝作用就越好。

(2)混凝剂投加量。投加量除与水中微粒种类、性质、浓度有关外，还与混凝剂品种、投加方式及介质条件有关。对任何污水的混凝处理，都存在最佳混凝剂和最佳投药量的问题，应通过试验确定。投加量过量时，不仅增加了药剂费用，有时还会造成胶体的再稳，使处理效果变差。

(3)混凝剂投加顺序。当使用多种混凝剂时，其最佳投加顺序可通过试验来确定。一般而言，当无机混凝剂与有机混凝剂并用时，先投加无机混凝剂，再投加有机混凝剂。但当处理的胶粒粒径在 50 μm 以上时，常先投加有机混凝剂吸附架桥，再投加无机混凝剂压缩扩散层而使胶体脱稳。

3. 水力条件的影响

对混凝效果有重要影响的水力条件包括搅拌强度、搅拌时间。搅拌强度常用速度梯度 G 来表示。在混合阶段，要求混凝剂与水迅速均匀地混合，为此要求 G 在 $500 \sim 1\,000\ \text{s}^{-1}$，搅拌时间 t 应在 $10 \sim 30\ \text{s}$。而到了反应阶段，既要创造足够的碰撞机会和良好的吸附条件让絮体有足够的成长机会，又要防止生成的小絮体被打碎。因此，搅拌强度要逐渐减小，而反应时间要长，相应 G 和 t 值分别在 $20 \sim 70\ \text{s}^{-1}$ 和 $15 \sim 30\ \text{min}$。

为确定最佳的工艺条件，一般情况下，可以用烧杯搅拌法进行混凝的模拟试验。试验方法分为单因素试验和多因素试验。一般应在单因素试验的基础上采用正交设计等数理统计法进行多因素重复试验。

三、沉淀与上浮

(一)沉淀

沉淀与上浮是利用水中悬浮颗粒与水的密度差进行分离的基本方法。当悬浮物的密度大于水时，在重力作用下，悬浮物下沉形成沉淀物；当悬浮物的密度小于水时，则上浮至水面形成浮渣(油)。通过收集沉淀物和浮渣可使水获得净化。沉淀法可以去除水中的泥沙、化学沉淀物、混凝处理所形成的絮体或生物处理的污泥等，也可用于沉淀污泥的浓缩。上浮法主要用于分离水中较轻的悬浮物，如油等，也可以让悬浮物黏附气泡，使其密度小于水，再用上浮法除去。

水中悬浮的固体颗粒，依靠自身重力作用，由水中分离出来的过程称为沉淀。根据水中悬浮物的密度、浓度及凝聚性，沉淀可分为四种基本类型。

(1)自由沉淀。颗粒在沉淀过程中呈离散状态，互不干扰，其形状、尺寸、密度等均不改变，下沉速度恒定。悬浮物浓度不高且无絮凝性时常发生这类沉淀。

(2)絮凝沉淀。当水中悬浮物浓度不高但有絮凝性时，在沉淀过程中，颗粒互相凝聚，其粒径和质量增大，沉淀速度加快。

(3)成层沉淀。当水中悬浮物浓度较高时，每个颗粒下沉都受到周围其他颗粒的干扰，颗粒互相牵扯形成网状的"絮毯"整体下沉，在颗粒群与澄清水层之间存在明显的界面。沉淀速度就是界面下移的速度。

(4)压缩沉淀。当悬浮物浓度很高，颗粒互相接触、互相支撑时，在上层颗粒的重力作用下，下层颗粒间的水被挤出，污泥层被压缩。

从另一角度来讲，沉淀又可分为自然沉降沉淀和混凝沉淀两种。

(1)自然沉降沉淀。原水中悬浮固体颗粒较大时，能依靠自身重力自然沉降的称为自然沉降沉淀。这种沉淀只在对含泥沙量大的原水进行预沉淀时采用。

(2)混凝沉淀。污水经过混凝处理，使水中较小的颗粒凝聚并进一步形成絮凝状沉淀物(俗称矾花)，再依靠其本身重力作用，由水中沉降分离出来，这种沉淀称为混凝沉淀。

一般水处理是用沉淀池作为沉淀设备的，而油田污水处理的目的多是为了污水回注，由于油田注水对溶解氧、腐蚀、细菌等水质指标有特殊要求，因此，油田污水处理通常用沉降罐作为沉淀设备，以保证污水处理后水质符合注水水质要求。

在油田污水处理中，为了加快沉降速度，提高沉降效果，普遍采用斜管(板)沉降罐，其原理与前面所述的斜板除油相同，即"浅池理论"。

(二)上浮

上浮就是设法使悬浮物等杂质的密度小于水，使其上浮至水面形成浮渣(油)，由水中分离出的处理工艺又称为气浮法。气浮法广泛应用于：①分离回收含油污水中的悬浮油和乳化油；②分离地面水中的细小悬浮物、藻类及微絮体；③回收工业废水中的有用物质，如造纸厂废水中的纸浆纤维及填料等；④分离回收以分子或离子状态存在的目的物，如表面活性剂和金属离子；⑤代替二次沉淀池，分离和浓缩剩余活性污泥，特别适用于那些易于产生污泥膨胀的生化处理工艺中。

气浮法最常用的气体是空气、二氧化碳、氮气和天然气，在油田水处理中应优先使用天然气，以使浮选器和下游设备免遭氧的腐蚀。

实现气浮法分离的必要条件有两个：第一，必须向水中提供足够数量的微细气泡，气泡理想大小为 $15 \sim 30 \mu m$；第二，必须使目的物呈悬浮状态或具有疏水性质，从而附着于气泡上浮升。

当把气体通入含油污水时，油粒就具有黏附到气泡上以减小其界面能的趋势，并非污水中所有物质都能黏附到气泡上，这要看该物质在水中的润湿性，即被水润湿的程度。一般来讲，疏水性物质易被气泡黏附，亲水性物质不易被气浮。为使污水中一些亲水性悬浮物被气浮，应在污水中投加一定量的浮选剂来改变颗粒表面的润湿性，使其易于黏附在气泡上浮升。浮选剂通常为极性或非极性的表面活性剂。因此具有吸附、润湿的性质。为提高气浮除油效率，气浮之前还需加入混凝剂，将乳化油破乳呈现为分散油的疏水状态，以便于气泡黏附。

四、过滤

(一)基本概念

过滤是去除悬浮物，特别是去除浓度比较低的悬浊液中微小颗粒的一种有效方法。过滤时，含悬浮物的水流过具有一定孔隙率的过滤介质，水中的悬浮物被截留在介质表面或内部而除去。按所采用的过滤介质，可将过滤分为以下四种：

(1)格筛过滤。过滤介质为栅条或滤网，用以去除粗大的悬浮物，杂草、纸浆等。

(2)微孔过滤。采用成形滤材，如滤布、滤片、烧结滤管、蜂房滤芯等，也可在过滤介质上预先涂上一层助滤剂(如硅藻土)形成孔隙细小的滤饼，用以去除粒径细微的颗粒。

(3)膜过滤。采用特别的半透膜作过滤介质，在一定的推动力(如压力、电场力等)下进行过滤。由于滤膜孔隙极小且具选择性，可除去水中细菌、有机物和溶解性溶质。其主要设备有反渗透、超过滤和电渗析等。

(4)深层过滤。采用颗粒状滤料，如石英砂、无烟煤等。由于滤料颗粒之间存在孔隙，当水穿过一定深度的滤层时，水中的悬浮物等杂质即被截留。为区别上述三类表面或浅层过滤过程，将这类过滤称之为深层过滤，简称过滤。

在水处理中，常用过滤处理使混凝沉淀处理后水的浊度或水中的细小悬浮物进一步下降，使水质得到进一步净化，以满足用水要求或达到相应的水质指标。

过滤用的设备称为过滤器或过滤池。过滤用的材料叫滤料，堆在一起的滤料层叫滤层或滤床。当滤层中截留的杂质过多时，滤层中孔隙被堵，水流的阻力增大，过滤速度变小。为恢复原过滤速度，必须定期用清水反向冲洗滤料，将滤料孔隙中积存的杂质冲洗掉，此过程称为反冲洗。

过滤不但能去除水中的悬浮物和胶体物质，而且还可以去除细菌、藻类、病毒、油类、铁和锰的氧化物、放射性颗粒、在预处理中加入的化学药剂、重金属以及很多其他物质。

(二)过滤机理

采用过滤去除水中杂质，所包含的机理很多。从性质上来说，一般可分为物理作用和化学作用。过滤机理可分为三类，即迁移机理、附着机理和脱落机理。

1. 迁移机理

悬浮颗粒脱离流线而与滤料接触的过程，就是迁移过程。引起颗粒迁移的原因如下：

(1)筛滤。比滤层孔隙大的颗粒被机械筛分，截留于过滤表面上，然后这些被截留的颗粒形成孔隙更小的滤饼层，使过滤水头增加，甚至发生堵塞。但实际上，悬浮颗粒一般都比滤层孔隙小，筛滤对总去除率的贡献不是很大的。根据几何学分析，三个直径为 0.5 mm 的球形滤料相切时形成的孔隙，可以通过直径最大为 0.077 mm，即 77 μm 的球形悬浮物。而经过混凝处理的絮体粒径一般为 2 ~ 10 μm，SiO_2 的粒径约 20 μm，硅藻土约 30 μm，它们都能通过滤层而不被机械截留。但是，当悬浮物的浓度过高时，很多颗粒有可能同时到达一个孔隙，相互拱接而被机械截留。

(2)拦截。随流线流动的小颗粒，在流线会聚处与滤料表面接触。其去除概率与颗粒直径的平方成正比，与滤料粒径的立方成反比，也是雷诺准数的函数。

(3)惯性。当流线绕过滤料表面时，具有较大动量和密度的颗粒因惯性冲击而脱离流线碰撞到滤料表面上。

(4)沉淀。如果悬浮物的粒径和密度较大，将存在一个沿重力方向的相对沉淀速度。在净重力作用下，颗粒偏离流线沉淀到滤料表面上。沉淀效率取决于颗粒沉速和过滤水速的相对大小和方向。此时，滤层中的每个小孔隙起着一个浅层沉淀池的作用。

(5)布朗运动。对于微小悬浮颗粒(如 $d < 1$ μm)，由于布朗运动而扩散到滤料表面。

(6)水力作用。由于滤层中的孔隙和悬浮颗粒的形状是极不规则的，在不均匀的剪切流场中，颗粒受到不平衡力的作用不断地转动而偏离流线。

在实际过滤中，悬浮颗粒的迁移将受到上述各种机理的作用，它们的相对重要性取决于水流状况、滤层孔隙形状及颗粒本身的性质(粒度、形状、密度等)。

2. 附着机理

由上述迁移过程而与滤料接触的悬浮颗粒，附着在滤料表面上不再脱离，就是附着过程。引起颗粒附着的因素主要有如下几种：

(1)接触凝聚。在原水中投加混凝剂，压缩悬浮颗粒和滤料颗粒表面的双电层后，但尚未生成微絮凝体时，立即进行过滤。此时水中脱稳的胶体很容易与滤料表面凝聚，即发生接触凝聚作用。

(2)静电引力。由于颗粒表面上的电荷和由此形成的双电层产生静电引力和斥力。悬浮颗粒和滤料颗粒带异号电荷相吸，反之，则相斥。

(3)吸附。悬浮颗粒细小，具有很强的吸附趋势，吸附作用也可能通过絮凝剂的架桥作用实现。絮凝物的一端附着在滤料表面，而另一端附着在悬浮颗粒上。

(4)分子引力。原子、分子间的引力在颗粒附着时起重要作用。

3. 脱落机理

通过用水进行反冲洗，有时先用或同时用压缩空气进行辅助表面冲洗，滤层膨胀到一定高度，滤料处于流化状态。截留和附着于滤料上的悬浮物受到高速反洗水的冲刷而脱落；滤料颗粒在水流中旋转、碰撞和摩擦，也使悬浮物脱落。反洗效果主要取决于冲洗强度和时间。

(三)影响过滤效率的因素

悬浮物的过滤分离效率受到滤料和悬浮颗粒两方面因素的影响。

1. 滤料的影响

(1)粒度。过滤效率与粒径 d^n ($1 < n < 3$) 成反比，即粒度越小，过滤效率越高，但水头损失也增加越快。

(2)形状。角形滤料的表面积比同体积的球形滤料的表面积大，因此，当孔隙率相同时，角形滤料过滤效率高。

(3)孔隙率。球形滤料的孔隙率与粒径关系不大，一般都在 0.43 左右。但角形滤料的孔隙率取决于粒径及其分布，一般为 0.48 ~ 0.55。较小的孔隙率会产生较高的水头损失和过滤效率，而较大的孔隙率提供较大的纳污空间和较长的过滤时间，但悬浮物容易穿透。

(4)厚度。滤床越厚，滤液越清，操作周期越长。

(5)表面性质。滤料表面不带电荷或者带有与悬浮颗粒表面电荷相反的电荷有利于悬浮颗粒在其表面上吸附或接触凝聚。通过投加电解质或调节 pH 值可改变滤料表面的 ξ 电位。

2. 悬浮颗粒的影响

(1)粒度。几乎所有过滤机理都受悬浮物粒度的影响。粒度越大，通过筛滤去除越易。向水中投加混凝剂，待其生成适当粒度的絮体或微絮体后进行过滤，可以提高过滤效果。

(2)形状。角形颗粒因比表面积大，其去除率比球形颗粒高。

(3)密度。颗粒密度主要通过沉淀、惯性及布朗运动机理影响过滤效率，因这些机理对过滤贡献不大，故影响程度较小。

(4)浓度。过滤效率随原水浓度升高而降低，浓度越高，穿透越难，水头损失增加越快。

(5)温度。温度影响密度及黏度，进而通过沉淀和附着机理影响过滤效率。降低温度，对过滤不利。

(6)表面性质。悬浮物的絮凝特性，ξ电位等主要取决于表面性质，因此，颗粒表面性质是影响过滤效率的重要因素。

(四)滤池(器)分类

滤池有以下几种分类：按水流通过滤床方向来分，可分为下向流、上向流、双向流、辐射流、水平流和由"细到粗"或由"粗到细"等类型；按所用的滤料来分，可分为砂、煤(或无烟煤)、"煤—砂"、多层、混合滤料或硅藻土等类型；按流量来分，可分为慢滤池、快滤池、高速滤池；此外，按过滤水的水流性质分为压力式(压力流)和重力式(重力流)两种。

压力式过滤器是油田水处理中使用最为普遍的过滤设备。其结构见图 2-6。

压力式过滤器亦称为机械过滤器。带有浊度的原水经泵的升压后通过滤层，因此进水和出水之间有压差，此压差即为原水通过滤层时克服滤层阻力的压头损失，一般为 5 ~ 6 m，有时可达 10 m 左右。

油田常用滤料的主要性能指标见表 2-8。

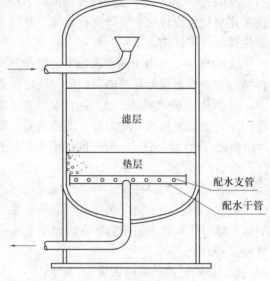

图 2-6　压力式滤罐构造简图

滤层
垫层
配水支管
配水干管

表 2-8　油田常用滤料的主要性能指标

滤料名称	主要技术指标			性能
	密度(g/cm³)	孔隙率(%)	破碎率(%)	
无烟煤	1.40 ~ 1.50	50 ~ 55	≤0.62	
石英砂	2.66	45 ~ 50	≤0.35	
磁铁矿	4.50	45 ~ 50	—	
锰砂矿	3.40	—	≤1.80	在酸碱中不溶蚀
陶瓷	3.20	43 ~ 50	—	
陶粒	1.52	55 ~ 70	—	
核桃壳	0.80	—		
轻质陶粒	0.80 ~ 0.85	65 ~ 70		

五、脱(除)氧

氧是含油污水处理系统中重要的腐蚀因素，特别是总矿化度大于 5 000 mg/L 且含有硫化氢气体时，腐蚀速度更为惊人，即使水中有微量的溶解氧也会造成严重的腐蚀。用地表水、浅层地下水作为注水水源或油田水中溶解氧含量较高时，为减少溶解氧引起的腐蚀，需进行脱(除)氧处理。常用的脱氧处理方法有化学法和物理法。

(一)化学法除氧

化学除氧是在水中投加化学药剂，药剂与氧反应生成无腐蚀性的产物，这些化学药剂被称为除氧剂。

油田水处理中常用的除氧剂有亚硫酸钠、亚硫酸氢铵。

理论上是 7.9 mg/L 的亚硫酸钠与 1 mg/L 的氧起反应，实际上常用的比率是 10∶1。在通常操作温度下，亚硫酸钠与氧的反应速度是非常慢的，因此，一般需要加催化剂如 Co^{2+}。

亚硫酸氢铵除氧过程与亚硫酸钠相同，其优点是不与空气发生反应，能够贮存在敞口容器中，在正常情况下不需要加催化剂。

(二)物理法脱氧

常用的物理脱氧方法有：机械真空脱氧和逆流气提脱氧，以真空脱氧最为经济。

1. 真空脱氧原理

真空法脱氧的原理是基于亨利定律。根据亨利定律可知：某气体在水中溶解量的大小与该气体在水面上的分压成正比，并与该气体在水中的溶解常数有关。当采用真空设备使水面上的气体压力接近于零时，则水面上各种气体的分压亦接近于零，此时，溶解在水中的气体就大量逸出，以此达到脱氧的目的。表 2-9 给出了淡水、海水中不同温度时溶解氧的含量。

表 2-9　淡水、海水中不同温度时溶解氧的含量　　　　(单位：mg/L)

水的类别	水的温度(℃)						
	0	5	10	15	20	25	30
淡水	14.6	12.8	11.3	10.2	9.2	8.4	7.6
海水	11.3	10.0	9.0	8.1	7.4	6.7	6.1

2. 真空脱氧工艺流程

机械真空脱氧可用两种方法获得真空：

(1)水力喷射器法。一套由水射器、循环水泵、冷却塔、集水池所组成的水力循环脱氧系统见图 2-7。

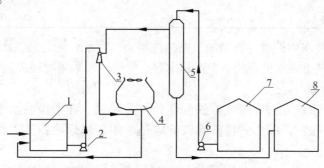

图 2-7　水射器脱氧工艺流程简图

1—循环水池；2—循环水泵；3—水射器；4—冷却塔；
5—脱氧塔；6—脱氧塔进水泵；7—清水罐；8—脱氧水罐

(2)真空泵法。用多级水环—大气喷射真空泵直接获得真空，工艺流程见图 2-8。

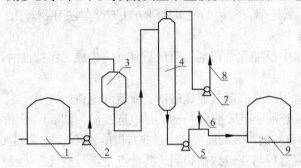

图 2-8　水环—大气喷射真空泵脱氧工艺流程简图
1—清水罐；2—压力过滤罐、脱氧塔进水泵；3—压力过滤罐；4—脱氧塔；
5—脱氧塔出水泵；6—加药；7—水环—大气喷射真空泵；8—排气；9—脱氧水罐

六、除铁

由于岩石和矿物的溶解以及油气生产系统的腐蚀等原因，地下水以及油田污水中都会含有过量的铁，其铁质的主要成分是二价铁，通常以 $Fe(HCO_3)_2$ 的形态存在。二价铁极易水解，生成 $Fe(OH)_2$，但一旦和空气接触，就会被空气中的氧气氧化生成难溶于水的 $Fe(OH)_3$ 沉淀。

表 2-10 是中原油田部分采出水、清水中的含铁量。

表 2-10　中原油田部分采出水、清水中含铁量

水别	总铁(mg/L)	二价铁(mg/L)
文一污采出水	30.9	23.7
文二污采出水	67.5	60.0
文三污采出水	48.3	42.5
濮一污采出水	27.0	24.8
濮二污采出水	32.0	29.0
濮三污采出水	26.1	22.4
文二清水	0.45	0.32

水中的铁会使水中的悬浮物增加、腐蚀性增强。因此，无论是淡水(浅层地下水)还是油田污水，除铁也是水处理的一个重要内容。除铁一般采用物理或化学方法。

(一)物理法除铁

常用的物理除铁方法有曝气除铁和锰砂过滤除铁。在油田注水水质处理中，普遍采用锰砂过滤除铁。压力式锰砂除铁滤罐是常用的物理除铁装置，其原理结构见图 2-9。

在该装置中，二价铁与水中的溶解氧发生反应，天然锰砂填料对二价铁的氧化反应起催化作用，使水中二价铁的氧化反应能迅速地在滤层中完成，并同时将生成的沉淀物 $Fe(OH)_3$ 截留于滤层中，使除铁过程一次完成。

锰砂过滤除铁一般适合于含铁量小于 20 mg/L 的地下水除铁。

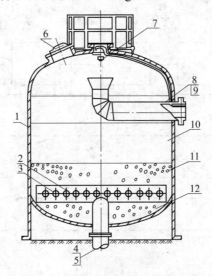

图 2-9 压力式锰砂除铁滤罐结构简图

1—罐体；2—集水管；3—反冲洗配水管；4—出水管；5—反冲洗进水管；6—人孔；
7—自动排气阀；8—进水管；9—反冲洗排水管；10—锰砂滤料层；11—锰块垫料层；12—卵石垫料层

(二)化学法除铁

化学法除铁是通过向水中投加适当的氧化剂和 pH 值调整剂，使二价铁转化为三价铁，形成 $Fe(OH)_3$ 沉淀而实现除铁目的。常用的氧化剂有高锰酸盐、双氧水、次氯酸钠等。pH 值调整剂有石灰、烧碱等。

化学法除铁主要用于油田污水的除铁处理，通常与油田污水的混凝净化等处理综合考虑，不设专门的除铁装置。

七、防垢

油田生产的经验表明，结垢问题是与原油的生产过程相伴而生的。结垢可能存在于油层、近井带、射孔孔眼、井筒、集输管线、贮罐、处理容器等处，致使油层伤害、阻流、设备磨损、垢蚀等问题出现，生产受到严重影响。特别是注水开发油田，由于水的热力学不稳定性和化学不相容性，结垢问题更为突出。由于结垢等影响，造成油井产液量下降、注水井压力上升，采油措施费用、管线及设备维护更新费用大幅度上升，严重者造成油井停产或报废，从而严重影响了油田的开发效果与经济效益。

油气生产系统是一个复杂的体系，油、气、水多相流体既赋存于一定温度、压力下的储层内，又存在于地下、地面注采管网中(油田注采系统如图 2-10 所示)。温度、压力、介质组成等参数处于不断变化状态。因而，油气生产系统的结垢比任何其他系统显得更为复杂多变。正确掌握不同类型垢的形成机理，不仅能够一定程度地预测结垢倾向，而且可以有针对性地选取防垢或除垢措施。例如，基于晶格畸变和低限抑制机理的防垢剂对晶体垢有防垢效果，对细菌垢的防垢应采取杀菌措施或细菌防垢。

根据油田结垢的实际情况，可将油田垢分为晶体垢、非晶体垢和细菌垢三大类，不同类型的结垢物具有不同的结垢机理。

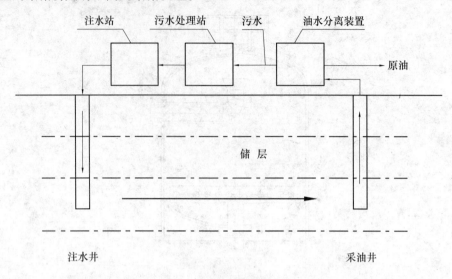

图 2-10　油田注采系统示意

(一)结垢机理

1. 晶体垢的结垢机理

晶体垢如碳酸钙垢、硫酸钙垢等是油田常见垢。热力学理论认为，垢是物质从溶液中沉淀或结晶出来所致，过饱和是结垢的"推动力"，在不同条件下，某物质在溶液中若是过饱和就有产生结垢的可能。与过饱和直接相关的参数是溶度积常数。

碳酸钙垢的形成机理如下：

$$Ca^{2+} + 2HCO_3^- \longrightarrow CaCO_3 \downarrow + CO_2 \uparrow + H_2O \qquad (2-3)$$

$$Ca^{2+} + CO_3^{2-} \longrightarrow CaCO_3 \downarrow \qquad (2-4)$$

硫酸钙垢的形成机理如下：

$$Ca^{2+} + SO_4^{2-} \longrightarrow CaSO_4 \downarrow \qquad (2-5)$$

硫酸钡(锶)垢的形成机理如下：

$$Ba^{2+}(Sr^{2+}) + SO_4^{2-} \longrightarrow BaSO_4(SrSO_4) \downarrow \qquad (2-6)$$

在油田水中，HCO_3^-、CO_3^{2-}、CO_2 和 $CaCO_3$，Ca^{2+}、SO_4^{2-} 和 $CaSO_4$ 以及 Ba^{2+}、SO_4^{2-} 和 $BaSO_4$ 处于化学平衡中，一旦平衡受到破坏，就会发生结垢或垢溶解。影响上述平衡的因素包括压力、温度、pH 值、总矿化度以及外来流体的组成。

(1)压力与结垢的关系。在油井近井地带、井筒、分离器、集输管线和贮罐中，压力会发生急剧或明显地降低，由式(2-3)可以看出，压力降低，有利于水中 CO_2 逸出，反应向右移动，促使碳酸钙形成。因此，在上述部位有可能形成碳酸钙垢，这也是气井采气过程中产生碳酸钙垢的重要原因。

同理，应用 CO_2 气驱技术提高原油采收率时，从 CO_2 气体注入到原油采出，CO_2 经历了进入体系、从体系中逸出的过程。当储层中白云岩等钙质矿物含量较高、地层水 pH

值较低时，在地层中，CO_2 进入体系，式(2-3)向左进行，即碳酸钙溶解：

$$CaCO_3+CO_2+H_2O \longrightarrow Ca^{2+}+2 HCO_3^-$$ (2-7)

当 CO_2 随同原油一起从油井采出时，CO_2 从体系中逸出，就有可能形成碳酸钙垢。

(2)温度与结垢的关系。温度对碳酸钙溶解度的影响见表 2-11。碳酸钙在水中的溶解度随温度的升高而下降。因而温度升高，促进碳酸钙垢形成。由于产出液在油水分离器中加热升温，注入水在注水井井筒、井底、近井带这些地方的温度明显高于地面，所以油水分离器、注水井井筒、井底、近井带等有较大温差的部位成为碳酸钙垢高发区。同样在热驱采油中，污水回注也常有碳酸钙垢生成。

表 2-11　温度对碳酸钙溶解度的影响　　　　　　　　　(单位：g/L)

CO_2 分压 (MPa)	温　度(℃)				
	20	40	60	80	100
0.10	0.93	0.58	0.38	0.24	0.20

(3)pH 值与结垢的关系。由水中 HCO_3^-、CO_3^{2-}、CO_2 的平衡与 pH 值的关系可以看出，水的 pH 值高，HCO_3^-、CO_3^{2-} 的浓度也高。可见水的 pH 值直接影响成垢阴离子的浓度，显然也影响碳酸钙垢的生成。

当注入流体如注入水、化学驱三次采油驱替剂的 pH 值较高时，应充分考虑到碳酸钙结垢的可能性，特别是当地层水中钙离子含量较高时，极易产生碳酸钙结垢。如中原油田在进行油田污水处理时，需要投加石灰乳、烧碱等 pH 值调整剂，由于油田污水中钙离子含量高达 4 000 mg/L，因此，在水处理系统中普遍存在管线严重结垢问题。

(4)注入流体性质与结垢的关系。在油气生产过程中，进入地层的流体统称为注入流体，如注入水、酸化增注液等，其组成与结垢关系密切。当地层水钙离子含量较高而注入水为高 HCO_3^-、CO_3^{2-} 水时，在两种水混合处极易形成碳酸钙垢。当地层水钡离子含量较高，而注入水中含有 SO_4^{2-} 时，两种水混合后就会形成硫酸钡垢。

中原油田在注水开发过程中，由于产出的污水量满足不了注水量的要求，需补充浅层地下水(清水)。为解决生产之急，采用了如图 2-11 所示的清、污混注流程。由于当初对清、污水的配伍性问题重视不够，没有对清、污水的配伍性进行评价，虽然满足了注水量要求，但不久就由于清、污水水性不配伍，在清、污水混合部位产生了结垢问题。

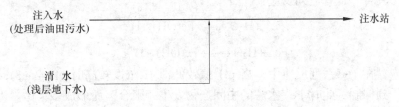

图 2-11　中原油田清、污混注流程示意

长庆马岭油田南区与安塞油田地层产出水中普遍含有 Ba^{2+}，平均含量为 400～500 mg/L，个别井高达 1 600 mg/L。而作为油田注入水的白垩系洛河层水，水中 SO_4^{2-} 含量为 1 051 mg/L，这两种水是严重不相容的，在注水过程中，会导致在地层内形成 $BaSO_4$ 垢，这一事实被

地层结垢取心检查井资料所证实。

2. 非晶垢的结垢机理

在油田垢中，非晶垢主要是硅垢和铁垢，此类垢物中也可能含有少量的晶态硅垢或铁垢。与前述晶体垢相比，非晶垢的成垢机理更多的是"具体的定性描述"，这是因为，硅、铁在水溶液中其离子不仅能呈多价，而且其化合物能呈胶态存在，因而成垢机理更为复杂。

1)硅垢

在热采和某些化学驱油中，包括硅垢在内的结垢是一个须解决的重要问题。在地层矿物中，二氧化硅类矿物占有很大比例，有的可达40%～50%，与很多矿物相比，它有着"较大的"溶解度。研究表明，温度升高、pH值较高时它的溶解度明显增加。加拿大艾伯特油田的研究人员曾做过试验：在砾石表层镀镍，该物质受热采介质作用而严重溶蚀，到后来剩下的几乎仅是一个"镍壳"。

硅垢的形成，主要受温度、pH值、矿化度的影响，可从两个方面加以分析：一是以溶解度为基础。二氧化硅类矿物处于较高温度和pH值时溶解度相对较大，当温度、pH值降低时，溶解度下降，析出硅垢。二是以胶态化学理论为基础。水中的二氧化硅是胶体硅(亦称悬浮硅、活性硅)，在水中能以多种形态存在。胶体在水中聚集、聚沉形成硅垢，主要遵循胶体化学中著名的DLVO理论，胶体聚沉的主要影响因素为矿化度、pH值(决定溶液的电化学性质)、温度(影响胶体粒子的布朗运动)，当这些因素发生变化时，可能产生胶体沉淀，形成硅垢。

在美国Long Beach开发区Wilmington油田碱水驱先导性试验中，B-101-A井由于垢堵卡泵而停产，扫描电镜下观察，垢主要是无定型类似泥浆的样子(非晶垢)，SiO_2含量为91.6%。

2)铁垢

油田水中铁离子来源包括原生和外来两种。地层水溶解地层中的铁类矿物质使铁离子(Fe^{2+}、Fe^{3+})进入油田水中，这部分铁离子属于原生来源。设备腐蚀产物、泥浆中的"铁剂"增加了油田水中铁离子的含量，这部分属于外来来源。

铁在水中通常有Fe^{2+}、Fe^{3+}两种形式，地层水未曝氧时，以Fe^{2+}为主，当水中含氧时，主要是Fe^{3+}。由于铁离子的结构特性，它在水中的反应复杂，包括水解、水和、中间产物的"聚合"，有下列反应：

$$Fe^{2+}+H_2O \longleftrightarrow Fe(OH)_2+H^+ \tag{2-8}$$

$$Fe^{3+}+H_2O \longleftrightarrow Fe(OH)_3+H^+ \tag{2-9}$$

这两个反应存在于一系列反应中。当pH值较低即H^+浓度较高时(pH=2～3)，进一步的水解反应受到抑制，此时Fe^{3+}水解的中间产物发生"聚合"而形成多聚体。当pH值升高即OH^-浓度较高时，平衡向右移动，促进水解反应，最后能形成胶体氢氧化铁沉淀。温度升高，也有利于水解反应。许多领域正是利用了铁离子的这些特性有效地除去水中的铁离子。

中原油田在采用图2-11所示的流程进行清、污混注过程中，由于清水中含有较高的

HCO_3^-、CO_3^{2-} 和溶解氧，而油田污水中含有大量的 Ca^{2+}、Fe^{2+}，两种水混合后，水质明显恶化，除了上述碳酸钙结垢原因外，油田污水中的 Fe^{2+} 被清水中的溶解氧氧化产生了 $Fe(OH)_3$ 沉淀也是一个重要因素。这类沉淀物也会由金属管网及设备的腐蚀产物形成。它们一方面沉积在金属管网及设备上，进一步加剧金属管网及设备的腐蚀；另一方面，在注入水的携带下，被截留在注水井近井地带，造成地层渗透率大幅度下降，使注水井注水压力升高。

3)细菌垢的结垢机理

在油田水中存在的某些细菌如硫酸盐还原菌、腐生菌、铁细菌等会给油气生产带来一系列不利影响，其中细菌对生产系统的腐蚀作用、细菌代谢产物对地层的堵塞作用已是不争的事实。细菌的腐蚀及代谢产物以细菌垢物的形式影响着油气生产的正常运行，特别是某些长期注水的老油田、大量回注污水的油田，细菌垢成为油田垢的重要组成。细菌垢的形成主要有生物化学作用和新陈代谢作用。

(1)细菌的生物化学作用。硫酸盐还原菌能将水中的 SO_4^{2-} 还原成 S^{2-} 从中获得能量，当水的 pH 值较低时形成 H_2S。S^{2-} 与水中的 Fe^{2+} 生成 FeS 沉淀；H_2S 加剧水的腐蚀性，产生更多的 Fe^{2+}，进而形成更多的 FeS 沉淀，反应式如下：

$$SO_4^{2-} \xrightarrow{\text{硫酸盐还原菌}} S^{2-} \tag{2-10}$$

$$S^{2-} + Fe^{2+} \longrightarrow FeS \downarrow \tag{2-11}$$

铁细菌能将细胞内所吸附的亚铁氧化为高铁，从而获得能量，其反应式如下：

$$4FeCO_3 + O_2 + 6H_2O \longrightarrow 4Fe(OH)_3 + 4CO_2 + 167 \text{ J} \tag{2-12}$$

铁细菌为了满足对能量的需要，必须要有大量的高铁如 $Fe(OH)_3$ 的形成。这种不溶性铁化合物排除菌体后就沉淀下来，并在细菌周围形成大量棕色黏泥，与其他固体悬浮物相混，形成复合垢物。

(2)细菌的新陈代谢作用。在一定的环境中，细菌代谢和繁殖速度很快，细菌尸体或细菌本身堆积成层状、块状或球状，它们与可能存在的其他垢物一起形成油田垢。水中的细菌或细菌的尸体可能做为晶核，促进晶体垢的生成。

(二)化学防垢机理

化学防垢法和磁防垢法在油田注水系统应用广泛,比较成熟的是化学防垢法。

1. 化学防垢机理

化学防垢法的主要机理包括分散作用、螯合和络合作用、絮凝作用以及晶体变形作用。

(1)分散作用。低分子量的聚合物，一般具有较高的电荷密度，可产生离子间的斥力，共聚物还具有表面活性剂的特性，它们在溶液中把胶体颗粒包围起来呈稳定状态随水带走。胶体颗粒的核心也包括 $CaSO_4$、$CaCO_3$ 等晶体，因此起到防垢作用。

(2)螯合和络合作用。防垢剂把能产生沉淀的金属离子(阳离子)变成可溶性的螯合离子或络合离子，从而抑制阳离子(如 Ca^{2+}、Mg^{2+}、Ba^{2+})和阴离子(CO_3^{2-}、SO_4^{2-})结合产生沉淀，典型的此类防垢剂有 ATMP、EDTA。

(3)絮凝作用。把水中含有 $CaSO_4$、$CaCO_3$ 晶核的胶体颗粒吸附在高分子聚合物的链条上结成矾花悬浮在水中，起阻垢作用。

(4)晶体变形作用。在形成晶体垢的过程中，有高分子聚合物进入晶体结构，破坏了晶体正常增长，而使晶体发生畸变，改变了原来的规则结构，使晶体不再继续增大，从而防止或减轻结垢。

2. 油田常用的化学防垢剂

(1)无机磷酸盐。主要有磷酸三钠(Na_3PO_4)、焦磷酸四钠($Na_4P_2O_7$)、三聚磷酸钠($Na_5P_3O_{10}$)和六偏磷酸钠（$(NaPO_3)_6$）。这类药剂价格低，防 $CaCO_3$ 垢较有效。但易水解产生正磷酸，可与 Ca^{2+} 反应生成不溶解的磷酸钙。随着水温的升高，水解速度加快，使用最高温度为 80 ℃。

(2)有机膦酸及其盐类。主要有氨基三甲叉膦酸(ATMP)、乙二胺四甲叉膦酸(EDTMP)、羟基乙叉二膦酸钠(HEDP)等。这类防垢剂不易水解，使用温度达 100 ℃以上。投加量比较低且有较好的防垢效果。

(3)聚合物。主要有聚丙烯酸钠(PAA)、聚丙烯酸胺(PMA)、聚马来酸酐(HPMA)等。其中 HPMA 防止 $CaSO_4$ 及 $BaSO_4$ 垢很有效。

(4)复配型复合物。几种作用不同的单剂按一定比例混合在一起，多剂复配，相互配合，取长补短，充分发挥协同效应。

(三)磁防垢机理

磁化法防垢的原理通常认为是：磁场对水中盐类分子或离子的磁性力偶产生磁带效应，使盐类分子之间的亲和性消失，比水分子与盐类分子之间的亲和性还弱，因而保持了防止形成大晶粒的水化膜；也有人认为，磁场使水分子缔合而成的长链变为短链，从而能渗透到垢的细缝中，并使完整的晶体变为粉末状。

八、缓蚀

油田含油污水中含有溶解氧、硫化氢和 CO_2 等腐蚀性气体，它们对污水处理及回注污水的注水系统的管网、设备造成腐蚀。由于水中溶解氧含量、pH 值及含盐量(总矿化度)不同，所以腐蚀性有很大差别。腐蚀对油气生产系统造成的危害和经济损失是相当惊人的。如中原油田自 1979 年投入开发以来，已建成 12 座污水处理站，日注水量 12 万 m^3，注水水源主要是油田采出污水，不足部分以浅层清水补充。油田产出水具有"四高一低"的特点，一是矿化度高，一般为 $4 \times 10^4 \sim 16 \times 10^4$ mg/L；二是水中游离 CO_2 及 HCO_3^- 含量高，CO_2 含量一般为 100 ~ 150 mg/L，最高达 200 mg/L，HCO_3^- 含量在 200 ~ 600 mg/L；三是硫酸盐还原菌含量高达 $10^4 \sim 10^5$ 个/mL；四是钙、镁、铁离子含量高，钙、镁总量高达 4 000 ~ 6 000 mg/L，铁含量高达 20 ~ 60 mg/L；一低为 pH 值低，一般在 5.5 ~ 6.5。洗井回水由于长期处于死水状态，水质更差，含有 H_2S、CO_2 等腐蚀性气体，S^{2-} 含量非常高，水体呈黑色。浅层清水矿化度低，但含有一定量的溶解氧，尤其腐生菌含量高。这些因素决定了油田污水具有较强的腐蚀性，同时加大了注水水质处理的难度，注水水质难以稳定达标。监测结果显示：中原油田生产系统的平均腐蚀率为 1.5 ~ 3.0 mm/a，点蚀速率为 5 ~ 15 mm/a，最高达 60.5 mm/a。据统计，1993 年生产系统管线、容器腐蚀穿孔 8 300 多次，直接经济损失 7 000 多万元，间接经济损失近 2 亿元。

(一)降低油田水腐蚀性的方法

降低油田水腐蚀性的方法主要有介质改善法和化学药剂缓蚀(防腐)法。通常这两种方法是一起使用的。

1. 介质改善法

一是通过适当的处理工艺，将水中的腐蚀因子如 O_2、H_2S、CO_2 等去除或减少；二是提高水介质的 pH 值；三是提高水质净化效果，减少水中悬浮物、细菌等有害杂质。

2. 化学药剂缓蚀(防腐)法

通过向水介质中投加化学药剂(缓蚀剂)来防止或减缓水的腐蚀性。

(二)油田水处理常用缓蚀剂的分类

油田水处理用缓蚀剂按成分可分为有机、无机两大类。由于有机缓蚀剂具有以下优点因而逐渐代替了无机缓蚀剂：①缓蚀效果好，投加量低(一般在 15 mg/L 左右)，处理成本较低；②有一剂两用或一剂多用的效果，例如防垢缓蚀剂咪唑啉类及季铵盐类缓蚀剂又有杀菌效果；③有机缓蚀剂同时又是表面活性剂，具有降低表面张力的作用，有利于注水。

按缓蚀剂的作用机理来划分,可分为阳极型、阴极型和混合型三种类型。按缓蚀剂所形成的保护膜特征划分，可分为氧化膜型、沉淀膜型和吸附膜型三种类型。缓蚀剂的名称及分类见表 2-12。

表 2-12　缓蚀剂的名称及分类

分类依据		名　称		说　明
按作用机理分类	对阴、阳极腐蚀过程的抑制作用	阳极缓蚀剂 阴极缓蚀剂 混合型缓蚀剂		抑制金属腐蚀的阳极共轭过程 抑制金属腐蚀的阴极共轭过程 同时抑制金属腐蚀的阴、阳极共轭过程
	抑制作用的性质	吸附型缓蚀剂		通过化学或物理吸附，抑制腐蚀过程
		成膜型缓蚀剂	钝化型缓蚀剂 (氧化型缓蚀剂)	氧化剂促进金属表面形成钝化被膜
			沉淀型缓蚀剂	与腐蚀产物或介质中物质形成沉淀保护膜
按缓蚀剂成分分类		无机缓蚀剂 有机缓蚀剂		一般用于中性水介质 一般用于酸性水介质、油介质、大气
按介质性质分类		水溶性缓蚀剂	中性 酸性 碱性	$pH=5\sim9$ $pH\leqslant5$ $pH\geqslant9$
		油溶性缓蚀剂		油漆、防锈油、石油中间物中使用
		气相缓蚀剂		用于天然气、锅炉蒸汽、大气腐蚀的抑制
按使用场合分类		酸洗、酸浸用缓蚀剂；切削油用缓蚀剂； 锅炉水、冷却水用缓蚀剂； 油气井用缓蚀剂；油气井酸化缓蚀剂等等		

针对弱酸性油田水系统使用的有机缓蚀剂主要有：季铵盐类、咪唑磷酸铵类、脂肪胺类、酰胺衍生物类、吡啶衍生物类、胺类和非离子表面活性剂复合物等。应用效果较好的是季铵盐类和咪唑啉类。因为这类化合物通常还具有较好的分散性，可以防止一些沉积物对地层的堵塞。椰子油酸铵的醋酸盐对油田注水也有较好的效果，它具有缓蚀和杀菌双重作用，加入 5 ~ 12 mg/L 可使缓蚀率达到 95%。椰子二胺及它的己二酸盐也有同样效果，并且在含有相当溶解氧中仍然有效。

九、杀菌

如前所述，油田水系统中普遍存在着硫酸盐还原菌、腐生菌、铁细菌等，这些细菌对油气生产系统造成的危害是严重的。因此，必须采用适当的方法杀灭或降低水介质中的细菌含量，消除或减缓细菌造成的危害。

(一)抑制细菌的措施

1. 清洗法

大排量清洗所有供、注水管线，同时在冲洗水中加入表面活性剂或适当的杀菌剂。

2. 采用合理的污水处理工艺

如污水与清水混注时，最好采用污水与清水先混合后处理的工艺。

3. 杀菌处理

杀菌方法一般可分为化学法和物理法。化学法是通过向水体中投加适当的化学药剂(杀菌剂)来杀菌的。物理法主要是利用紫外线的杀菌作用。油田水系统应用最为普遍的杀菌方法是化学法。

(二)杀菌剂的种类

按杀菌剂的化学成分可分为无机杀菌剂和有机杀菌剂两大类。属于无机杀菌剂的有氯、二氧化氯、次氯酸钠等。属于有机杀菌剂的有季铵盐类、氯酚类、有机硫类和氯胺类等。按杀菌剂的杀菌机制分为氧化型和非氧化型杀菌剂。例如氯、次氯酸钠、氯胺等是氧化型杀菌剂；季铵盐类、氯酚类、二硫氰基甲烷等是非氧化型杀菌剂。

(三)杀菌剂的选择

(1)不同的水质、不同的工艺运行条件及所含菌种、菌量的差异，对杀菌剂的要求也不尽相同。应在实验室内尽量模拟系统环境条件进行药效和杀菌时间等试验，筛选和评定杀菌剂。

(2)所选择的杀菌剂与系统中加入的其他化学剂如缓蚀剂、阻垢剂、净水剂等有好的配伍性，不互相降低效果；杀菌剂与污水互溶，不产生浑浊或沉淀现象。

(3)考虑细菌的抗药性，至少选择两种杀菌剂，以便在细菌对一种杀菌剂产生抗药性时，换用第二种杀菌剂。

(4)选择的药剂价格低廉，配制和使用方法简便。

(5)选择的药剂应高效低毒，以减少对环境的危害。

(四)杀菌机理

无论是无机杀菌剂还是有机杀菌剂，氧化型杀菌剂还是非氧化型杀菌剂，其杀菌机理可归纳为以下几点。

1. 阻碍菌体的呼吸作用

细菌在呼吸时要消耗糖类、碳水化合物，以维持体内各种成分的合成。这个过程主要靠一种酶，如果杀菌剂进入菌体，影响酶的活性，使能量代谢中断或减少，因呼吸停止而死亡。

2. 抑制蛋白质合成

组成蛋白质的氨基酸分子通过肽键依次缩合成多肽链，由两个氨基酸分子缩合而成的化合物称为二肽，是两个氨基酸分子之间的一个氨基与另一个的羧基失水缩合而成，连接两个氨基酸的键即为肽键。由多个氨基酸缩合而成的化合物称为多肽。构成蛋白质的多肽链，有的较短，有的较长，其侧链 R 的数目与结构也不同，因此使蛋白质表现特异性的区别，成为生命的物质基础。当杀菌剂进入菌体后，如果阻止了某一步肽键的形成，即能破坏蛋白质的合成，或者破坏了蛋白质的水膜或中和了蛋白质的电荷，使蛋白质沉淀而失去活性，起到抑制或致死的作用。

3. 破坏细胞壁

细胞壁是细菌同外界进行新陈代谢，同时保持内外平衡的一种起屏障作用的物质，能帮助离子或营养物质的吸收，并可阻挡某些大分子的进入和保留存在于细胞壁和细胞膜之间的蛋白质，而有些介质中的蛋白质是对细菌生理很重要的酶。细胞壁主要由肽聚糖组成，如果杀菌剂能溶化细胞壁，或者阻止介质中蛋白酶的作用，这样就破坏了细胞壁，也破坏了内外环境的平衡，达到杀死细菌的目的。

4. 阻碍核酸的合成

核酸是生物体遗传的物质基础，其化学组成可分为两大类：一类称脱氧核糖核酸(简称 DNA)，主要存在于细胞核内，微量存在于细胞质；另一类称为核糖核酸(简称 RNA)，主要存在于细胞质内，微量存在于细胞核。生物体的遗传特征主要由 DNA 决定。如果杀菌剂加入，破坏了核酸分子的某一环节，从而使核酸的特异结构发生任何改变时，都可引起突变或使原有活性丧失或改变，从而破坏了菌体本身的生长和繁殖。

由于杀菌剂种类很多，其杀菌机理当然也不相同，但凡具有以上条件之一的，均能使细菌被抑制或致死。

(五)杀菌剂的使用方法

为了获得好的杀菌效果，应采用正确的使用方法进行操作。

(1)对系统进行彻底清洗。用溶剂、清洗液对设备、管线及贮罐等进行清洗，使杀菌剂与细菌充分接触，以保证杀菌效果。在清洗后，进行系统消毒，即采用高浓度杀菌剂溶液，使其在系统中有充分的停留时间，以便把细菌杀死。

(2)合理选择投加方法和投药点。杀菌剂可以采用连续投加或间歇冲击式投加处理。在细菌含量不太高的情况下采用间歇冲击式投加最为有效。

(3)根据实验室试验结果，确定杀菌剂投加量，并通过以后的实践不断进行调整。如果连续投加杀菌剂，通常要求开始浓度要高，在细菌数量被控制以后，再采用较低的加药浓度。

(4)杀菌剂轮换使用。通过至少选择两种杀菌剂交替使用，或者改变加药方式等，避免因细菌产生抗药性造成的杀菌剂杀菌能力下降和用药量增加。

第三章　油田水处理化学剂

第一节　混凝剂

在水净化处理过程中，通过向水中投加适当的化学药剂，使胶体颗粒的扩散层受到压缩或消失，ζ电位降低或趋于零，从而消除了胶体微粒之间的静电排斥，胶体微粒得以聚结。由于天然水体中胶体颗粒大都是带负电荷，因此就在水中投加大量带正电离子的化学药剂。这种通过投加大量正离子电解质的方法，使得水中胶体颗粒相互聚结的作用称为双电层作用。根据这个机理，使得水中胶体颗粒相互聚结的过程称为凝聚，所投加的化学药剂称为凝聚剂，如硫酸铝、硫酸亚铁等。换言之，凝聚就是向水中投加凝聚剂，以中和水中带负电荷的胶体颗粒，使得水中胶体颗粒由稳定态变为不稳态，从而达到沉降的目的。

某些高分子化合物溶于水后，会产生水解和缩聚反应而形成高聚合物。这种高聚合物的结构是线型结构，线的一端拉着一个胶体颗粒，另一端拉着另一个胶体颗粒，在相距较远的两个颗粒之间起着黏结架桥作用，使得微粒逐步变大，变成了大颗粒的絮凝体(俗称矾花)。这种由于高分子物质的吸附架桥而使微粒互相黏结的过程，就称为絮凝，这种高分子化合物就称为絮凝剂。换言之。絮凝是在水中投加高分子物质——絮凝剂，帮助已经中和(凝聚)的胶体微粒进一步凝聚，使其更快地凝聚成较大的絮凝物，从而加速沉降。

通过双电层作用而使胶体颗粒相互聚结过程的凝聚，以及通过高分子物质的吸附架桥作用而使胶体颗粒相互黏结过程的絮凝，这两者总称为混凝。所谓混凝过程，是指在水处理过程中，向水中投加药剂，进行了水与药剂的混合，从而使水中的胶体颗粒产生凝聚和絮凝，这一综合过程称为混凝过程。凝聚剂和絮凝剂统称为混凝剂。实际上，有的药剂兼有凝聚剂和絮凝剂双重作用。

油田水处理中常用的混凝剂可分为普通无机混凝剂、无机高分子混凝剂和有机高分子混凝剂三大类。实际应用中，除了上述单一混凝剂外，还使用有机高分子混凝剂和无机高分子混凝剂的复合物，以提高混凝效果。

为提高混凝效果，有时需要加入一定量的助凝剂，按助凝剂在混凝过程中所起的作用可分为：酸碱性助凝剂，如石灰、硫酸等，用以调整水的 pH 值；改变矾花性质的助凝剂，如水玻璃等。

一、普通无机混凝剂

常用的普通无机混凝剂包括铝盐、铁盐两大类。

(一)铝盐

1. 硫酸铝

硫酸铝为白色结晶体，含有不同的结晶水，其中最常见的是 $Al_2(SO_4)_3 \cdot 18H_2O$。

硫酸铝极易溶于水，室温时其溶解度即可达 50%左右，水溶液呈酸性，pH 值在 2.5 以下。

硫酸铝工业产品根据其中杂质含量可分为粗制品和精制品。精制品中 Al_2O_3 含量不小于 15%，不溶杂质含量不大于 0.3%，价格较贵。而粗制品中 Al_2O_3 含量不小于 14%，不溶杂质含量小于 2.4%，价格较低，但质量不稳定，含有游离酸，因此酸度较高，腐蚀性强，排出的残渣较多，配药操作麻烦。

硫酸铝使用方便，对处理后的水质无任何不良影响；但水温较低时，水解困难，形成的絮体比较松散，效果不如铁盐。另外，对水的 pH 值适应范围较窄，一般在 5.5～8.0 之间。加入量一般为几十 mg/L 到 100 mg/L。如果加入量过多，使水的 pH 值下降，反而会影响混凝效果，使水发浑。

2. 明矾

明矾为白色块状结晶体。其起混凝作用的成分还是硫酸铝，因此其混凝特性与硫酸铝相同。

(二)铁盐

1. 三氯化铁水合物

三氯化铁水合物是一种黑褐色的结晶体，极易溶于水，溶解度随温度升高而增大，形成的矾花密度大，易沉降，处理低温、低浊水的效果比铝盐好。它适宜的 pH 值范围也比较宽，在 5.0～11.0 之间。但是三氯化铁是一种很容易吸潮的结晶体，其水溶液腐蚀性很强，必须注意防腐。另外，处理后水的色度比用铝盐时高。

三氯化铁加入水中能与水中的碱起反应，生成氢氧化铁胶体，其反应为：

$$2FeCl_3 + 3Ca(HCO_3)_2 = 2Fe(OH)_3 + 3CaCl_2 + 6CO_2$$

当水的碱度低或投加量大时，水中应先加适量石灰，以提高碱度。

2. 硫酸亚铁水合物

硫酸亚铁水合物是半透明绿色结晶体，俗称"绿矾"，易溶于水。硫酸亚铁离解出的 Fe^{2+} 只能生成单核络合物，其混凝效果不如三价铁盐，因此，使用时应先将 Fe^{2+} 氧化成 Fe^{3+}。

当水的 pH 值>8 时，Fe^{2+} 易被水中的溶解氧氧化成 Fe^{3+}，因此，当 pH 值<8 时，可适当加些石灰，以提高碱度和 pH 值。如水中溶解氧不足时，也可适当通入氯气或加入次氯酸盐，使 Fe^{2+} 氧化成 Fe^{3+}。

铁盐的混凝作用与铝盐相似。

二、无机高分子混凝剂

(一)聚合铝

聚合铝是指 Al^{3+} 盐到 $Al(OH)_3$(固)之间的一系列准稳态物质，一般是二铝到十三铝的羟基络合物。Al^{3+} 盐水解产生单铝多羟基络合物。单铝多羟基络合物间比较邻近的羟基靠氢键(OH…HO)集合在一起。氢键在酸性环境失水，使两个单铝羟基络合物共享一个羟基，形成双铝多羟基络合物。继续反应下去，即形成多铝多羟基络合物。通过羟基共享配位称为羟基桥联反应。

通过羟基桥联反应，可获得的多铝多羟基络合物有很多种，如 $Al_2(OH)_2^{4+}$、$Al_3(OH)_4^{5+}$、$Al_6(OH)_{15}^{3+}$、$Al_7(OH)_{17}^{4+}$、$Al_{13}(OH)_{32}^{7+}$、$Al_{13}(OH)_{34}^{5+}$等。其中以 $Al_{13}(OH)_{32}^{7+}$ 的准稳性好，脱稳趋势大，是活性成分。它具有三维空间立体构型，在水中呈簇团状的胶粒，在高效聚合铝中通常有这种成分。

聚合铝与不同的阴离子构成不同的聚合铝品种。阴离子可以是单一型的，也可以是复合型的，而阴离子的引入是由生产工艺和性能指标决定的。

1. 聚合硫酸铝

当引入的阴离子是 HSO_3^-、SO_4^{2-} 时，形成的产品即为聚合硫酸铝。因为 HSO_3^-、SO_4^{2-} 的尺寸较大，与 Al^{3+} 较难接近，配位效应弱，只能形成离子键，因此，其脱稳能力较大，但贮存性较差。

2. 聚合氯化铝(PAC)

当引入的阴离子是 Cl^- 时，此聚合铝即为聚合氯化铝。由于 Cl^- 尺寸较小，能接近 Al^{3+}，故具有一定的配位效应，能够形成羟氯铝配位体，因此，Cl^- 与聚合铝离子间就不是单纯的离子键。其性能较稳定，贮存性较好。

聚合氯化铝又称碱式氯化铝，其分子式为 $[Al_2(OH)_nCl_{6-n}]_m$，其中 n 为 $1\sim5$ 之间的任一整数，m 为 $\leqslant10$ 的整数，该式表示 m 个 $Al_2(OH)_nCl_{6-n}$(称羟基氯化铝)单体的聚合物。因此，聚合氯化铝实际上是一种无机高分子聚合物。分子式中 OH^- 与 Al^{3+} 的比值对混凝效果有很大影响，一般以碱化度 B 来表示，即

$$B = \frac{OH^-}{3[Al^{3+}]} \times 100\%$$

通常要求聚合氯化铝中含 Al_2O_3 在 10% 以上，碱化度 B 在 50%～85%，不溶物在 1% 以下。

聚合氯化铝对高浊度、低浊度、高色度及低温水都有较好的混凝效果。它形成絮凝体(俗称"矾花")快且颗粒大而重，易沉淀，投加量比硫酸铝低，适用的 pH 值范围较宽，在 5～9 之间。而且还可以根据所处理的水质不同，制取最适宜的聚合氯化铝，而硫酸铝则不能。它的加入量也不宜过多，否则也会使水发浑。

3. 聚合氯硫铝(PACS)

由于聚合氯化铝的稳定性能较好，贮存性可靠，有时为了增大脱稳能力，常在聚合氯化铝中引进少量的 SO_4^{2-}，一般是 Cl^-/SO_4^{2-} 为 4 左右为宜。日本是聚合氯硫铝的发源地，其使用量和生产量均超过硫酸铝。

4. 聚合硫硅铝(PASS)

聚合硫酸铝碱化度超过 40% 就不稳定，但是硫酸铝的来源比氯化铝容易，有可靠的工业生产。为了强化它的絮凝效果，引入 SiO_3^{2-}，生成聚合硫硅铝。

5. 聚合铁(PFS)

聚合铁主要是以硫酸亚铁为原料，通过一系列的反应聚合而成的一种呈红褐色的黏

稠状液体，也可进一步制成固体，故又称聚合硫酸铁，其分子式为：

$$\left[Fe_2(OH)_n \cdot (SO_4)_{3-\frac{n}{2}} \right]_m$$

聚合铁是一种多羟基、多核络合体的阳离子型絮凝剂，它可以与水以任何比例快速混合。溶液中含有大量的聚合铁络合离子，它比无机盐类混凝剂有较大的相对分子质量，能有效地压缩双电层，降低ξ电位，使水中胶体微粒迅速凝聚成大颗粒，同时还兼有吸附架桥的絮凝作用，使微粒絮凝成大颗粒，从而加速颗粒沉淀，提高混凝沉淀效果。其适用的 pH 值范围较宽，一般在 4～11 之间。当原水的 pH 值在 5～8 范围内时，混凝效果更好。

聚合铁混凝效果比三氯化铁好，且使用成本比三氯化铁低 30%～40%。

聚合铁在使用过程中混凝效果比聚合铝要好些，如形成矾花的速度快、颗粒大且重，因此沉降快，使用方便。但有时会有少量细小矾花漂浮水面，使水略显微黄色，但不影响水质，经过过滤处理即能完全脱色。而铝盐混凝剂虽然不会使水显色，却有涩味。

三、有机高分子混凝剂

有机高分子混凝剂包括人工合成的有机高分子材料和天然的有机高分子材料，其中以人工合成的有机高分子混凝剂为主，如聚丙烯酰胺、聚丙烯酸钠等。聚丙烯酰胺用得最多，其产量约占高分子混凝剂生产总量的 80%。

聚丙烯酰胺是一种水溶性线型高分子化合物，相对分子量在 150 万～800 万之间。它溶于水中不会电离，因此称为非离子型，也有称为 3 号絮凝剂的。

聚丙烯酰胺在水中对胶粒有较强的吸附结合力，同时它是线型的高分子，在溶液中能适当伸展，因此能很好地发挥吸附架桥的絮凝作用。将聚丙烯酰胺通过加碱水解，可使非离子型的聚丙烯酰胺变成带有阴离子的羧酸基团。这些带阴离子的基团由于同电相斥，使线型高分子能充分伸展开，更有利于吸附架桥，增强混凝效果。但水解不能过分，因为基团带电性过强对絮凝反而起阻碍作用。通常认为，通过水解使酰胺基团有 30%～40%转化为羧酸基团，再与铝盐或铁盐配合使用，混凝效果显著。

由于水中许多胶粒带有负电性，而阴离子型聚丙烯酰胺有强烈的吸附性，所以仍能产生絮凝作用。如果是阳离子型的，不仅有吸附架桥作用，还能对胶粒起电性中和的脱稳作用。因此，现在已开发出阳离子型聚丙烯酰胺，其混凝效果更好。

四、助凝剂

在水处理中，有时使用单一混凝剂不能取得良好的效果，需要投加辅助药剂以提高混凝效果，这种辅助药剂称为助凝剂。

助凝剂的作用是：加速混凝过程，加大絮凝颗粒的密度和质量，使其更迅速沉淀。并加强黏结和架桥作用，使絮凝颗粒粗大且有较大表面，可充分发挥吸附卷扫作用，提高澄清效果。

常用的助凝剂有两大类：调节或改善混凝条件的助凝剂和改善絮凝体结构的高分子助絮凝剂。

(一)调节或改善混凝条件的助凝剂

CaO、$Ca(OH)_2$、Na_2CO_3、$NaHCO_3$等碱性物质以及硫酸等，可以调节水的 pH 值。用 Cl_2、$NaClO$ 等氧化剂，可以除去有机物对混凝剂的干扰，并将 Fe^{2+}氧化成 Fe^{3+}(在用亚铁盐做混凝剂时更为重要)，此外还有 MgO 等。

(二)改善絮凝体结构的高分子的助凝剂

这类助凝剂主要有聚丙烯酰胺、骨胶、活性硅酸及海藻酸钠等。

五、天然有机高分子混凝剂

近年来，国内外学者又对早期曾使用过的天然有机高分子有机物如甲壳素、纤维素、木质素、淀粉等进行改性，研制成阳离子型絮凝剂。它们还可作为助凝剂而与其他混凝剂混合使用，提高絮凝效果，有效去除一些带负电荷的有机或无机悬浮物，如悬浮泥土、煤粉、铁矿砂等。由于天然高分子有机物的来源广、价格低廉、无毒，在对环境保护、人体健康日趋重视的今天，对这类产品的开发和推广使用，颇值得重视。

第二节　杀菌剂

一、氧化型杀菌剂

氧化型杀菌剂都是一些氧化剂，它们的杀菌作用是通过它们的强烈氧化作用，破坏原生质结构或氧化细胞结构中的一些活性基团而产生的。在油田水处理及注水系统中，一般都含有还原剂 Fe^{2+}、H_2S、SO_4^{2-} 等，如果使用氧化型杀菌剂，那么还原剂与杀菌剂作用会消耗掉一部分，降低杀菌效果。例如氯可把 Fe^{2+}氧化成 Fe^{3+}，在有 H_2S 存在的条件下有如下反应发生：

$$4Cl_2+4H_2O+H_2S \longrightarrow H_2SO_4+8HCl$$

因此，系统中如果存在大量的 H_2S 和 Fe^{2+}时，氯的使用就受到限制，故用氯来杀硫酸盐还原菌是不合适的。另外，在油田水处理中，一般都要加入化学除氧剂来除氧，除氧剂会与杀菌剂反应，使氧化型杀菌剂的使用受到限制。在油田处理后的污水中还含有较高溶解状态的有机物，当加入氧化型杀菌剂后，可将有机物氧化成无机物以悬浮物的形式悬浮在水中，除降低杀菌剂杀菌效果外，还增加了悬浮物含量，影响注水水质。因此，油田污水处理中多使用非氧化型杀菌剂。

二、非氧化型杀菌剂

(一)氯酚及其衍生物

氯酚及其衍生物是应用较早的一类杀菌剂。这类杀菌剂包括的品种很多，其杀菌效率递增顺序为：邻氯酚<对氯酚<2，4-二氯酚<五氯酚钠<2，4，5-三氯酚<2，2'-二羟基-5，5'-二氯苯甲烷。国产杀菌剂 NL-4 主要成分就是 2，2'-二羟基-5，5'-二氯苯甲烷，

它们通常以对氯酚和甲醛为原料，在浓硫酸的催化下，进行缩合反应而制备。氯酚类杀菌剂杀菌能力很强，但不易被其他微生物迅速降解。

将氯酚类杀生剂与某些阴离子型表面活性剂混合，可以明显提高其杀生效果。

氯酚类杀生剂的杀生作用是由于它们能吸附在微生物的细胞壁上，然后扩散到细胞结构中，在细胞质内生成一种胶态溶液，并使蛋白质沉淀。

(二)季铵盐化合物

季铵盐杀菌剂是一类有机铵盐，它具有离子型化合物的性质，极易溶于水而不溶于非极性溶剂。化学结构式为：

$$\left[R - \overset{\displaystyle R_1}{\underset{\displaystyle R_3}{\overset{|}{\underset{|}{N^+}}}} - R_2 \right] X^-$$

R、R_1、R_2、R_3代表不同的羟基，X^-为卤素离子。作为杀菌剂使用的季铵盐，其中一个羟基往往具有$C_{12} \sim C_{18}$的长碳链结构，具有$C_{12} \sim C_{18}$长碳链的季铵盐分子中，既有憎水的烷基，又有亲水的季铵离子，因此它是一类能降低溶液表面张力的阳离子表面活性剂。由于它具有杀菌性能和表面活性作用，所以季铵盐在水处理中是一种很好的杀菌剂，也是一种很好的污泥剥离剂。由于季铵盐的螯合能力强，因此与其他药剂共用时还具有缓蚀增效作用，是一种具有多种效能的水处理剂。

季铵盐化合物的杀菌力与碳链长度有关，对硫酸盐还原菌、铁细菌、一般异养菌的试验结果表明，杀菌力$C_{16} > C_{14} > C_{13} > C_{12}$，但由于$C_{12}$的来源较多，所以一般应用最广的是十二烷基二甲基苄基氯化铵(1227)，以及十二烷基三甲基氯化铵(1231)。烃基都是烷基的三甲基季铵盐，十六烷基杀菌力较强，带苄基的季铵盐杀菌力比带烷基的强；另一类分子中含有吡啶基，其杀菌力也很强。

季铵盐化合物化学性质稳定，使用方便，毒性较低，且无积累性，对鱼类毒性属于中毒，使用时一般投药量为$10 \sim 20$ mg / L即可抑菌，$30 \sim 40$ mg / L可杀死细菌，$4 \sim 7$ mg / L可杀死藻类，冲击式投加量一般为100 mg / L。

季铵盐杀菌剂中最常用的两种药剂是洁尔灭(十二烷基二甲基苄基氯化铵，俗称1227)和新洁尔灭(十二烷基二甲基苄基溴化铵)。由于这两种季铵盐的阳离子相同，故其杀生性能基本相似。新洁尔灭的杀生作用比洁尔灭要强一些。

季铵盐的杀生作用应归功于其正电荷。这些正电荷与微生物细胞壁上带负电的基团生成电价键。电价键在细胞壁上产生应力，导致溶菌作用和细胞的死亡。季铵盐也能使蛋白质变性而导致细胞死亡。它们破坏细胞壁的可透性，使维持生命的养分摄入量降低。

(三)有机硫类

许多有机硫化物是低毒、水溶和易于使用的。它们对于抑制真菌、粘泥形成菌，尤其是硫酸盐还原菌十分有效。

二硫氰基甲烷又称二硫氰酸甲酯，这是一种广泛使用的有机硫杀生剂。其分子式为$CH_2(SCN)_2$。二硫氰基甲烷在pH值为$6 \sim 7$的范围内基本稳定，当pH值上升到8.5以上时，便迅速水解为硫氰酸盐和甲醛以及少量硫化物。单独使用二硫氰基甲烷其杀菌或抑菌效果并不理想，一般不单独使用。与季铵盐复配后增效明显，其杀菌效果大大提高。国内使用较为普遍的 SQ8 杀菌剂就是由二硫氰基甲烷和 1227 复配而成的，SQ8 是一种具有良好杀菌效果、同时还具有剥离作用的广谱杀菌剂。

二硫氰基甲烷杀生的作用机理是阻碍微生物中电子的转移，从而使细胞死亡。

(四)醛类化合物

醛类化合物如甲醛、丙烯醛、戊二醛等都具有较好的杀菌性能，但由于它们具有强烈的刺激性气味，易燃、易挥发，影响了它们的推广应用。戊二醛具有较强的杀菌力，在油田水处理中已有应用，但价格较高。醛类与季铵盐复配，能明显提高杀菌效果。WC-85、KB-901 等杀菌剂就是戊二醛与 1227 复配的产品，在油田水处理中得到广泛应用。

(五)异噻唑啉酮类

异噻唑啉酮是一类较新的杀生剂。作为杀生剂，人们常使用异噻唑啉酮的衍生物，例如 2-甲基-4-异噻唑啉-3-酮和 5-氯-2-甲基-4-异噻唑啉-3-酮。

异噻唑啉酮是通过断开细菌和藻类蛋白质的键而起杀生作用的。

异噻唑啉酮在较宽的 pH 值范围内都有优良的杀生性能。它们是水溶性的，故能和一些药剂复配在一起。

(六)其他类型的杀生剂

除了以上所述的外，还有其他类型的杀生剂，如有机胺类、有机锡化合物、季鳞盐类等。

第三节　缓蚀剂

缓蚀剂是一些用于腐蚀环境中抑制金属腐蚀的添加剂，又称腐蚀抑制剂或阻蚀剂。美国试验与材料协会《关于腐蚀和腐蚀术语的标准定义》(ASTM—G15—76)对缓蚀剂的定义为："缓蚀剂是一种当它以适当的浓度和形式存在于环境(介质)时，可以防止或减缓腐蚀的化学物质或复合物"。

一、应用缓蚀剂的技术要求

具有缓蚀作用的物质种类繁多，但真正能用于工业生产的缓蚀剂品种则是有限的。这首先是因为商品缓蚀剂需要具有足够高的缓蚀率，价格要合理，原料来源要广。此外，工业应用的不同环境和工艺参数也对工业用的缓蚀剂提出了许多具体的技术要求。

具备工业使用价值的缓蚀剂应具有以下性能：投入腐蚀介质后立即产生缓蚀效果；在腐蚀环境中有良好的化学稳定性，可以维持必要的寿命；在预处理浓度下形成的保护膜可被正常操作条件下的低浓度缓蚀剂修复；不影响材料的物理、机械性能；具有良好的防止金属腐蚀和局部腐蚀的效果；毒性低或无毒。

油田水系统用缓蚀剂的具体要求如下：

(1)缓蚀效果良好，投量少，处理成本较低；

(2)与破乳剂配伍性好，不影响破乳除油；

(3)在水中的溶解性和分散性好，乳化倾向小；

(4)与杀菌剂、防垢剂等其他水处理剂互溶，彼此之间不产生沉淀，不产生降低效果和减小滤膜系数等不利影响；

(5)对细菌有一定抑制作用，不加快细菌繁殖。

二、油田水系统常用缓蚀剂

油田注水系统应用缓蚀剂开始于 20 世纪 50 年代，初期曾沿用化工厂循环冷却水系统的无机缓蚀剂来处理油田污水，以达到防腐蚀的目的。但无机缓蚀剂用于处理像油田回注这样大量的、非循环的含氧水是不经济的。因此，人们倾向于应用有机缓蚀剂或有机缓蚀剂与无机缓蚀剂混合使用。目前油田水缓蚀的主要技术路线为：由开式系统改为闭式系统，使注水中溶解氧含量降低至 0.02 ~ 0.05 mg / L，这样就使油田污水的腐蚀类型从主要是氧腐蚀转化为弱酸性的环境腐蚀(主要是 H_2S、CO_2 等腐蚀)，然后再使用有机缓蚀剂进行防腐。

油田水系统使用的有机缓蚀剂主要类型有：季铵盐类、咪唑磷酸胺类、脂肪胺类、酰胺衍生物类、吡啶衍生物类、胺类和非离子表面活性剂复合物等。对油田注水效果较好的是季铵盐类、咪唑啉类，因为这类化合物通常还具有较好的分散性，可以防止一些沉积物对地层的堵塞。椰子油酸胺的醋酸盐对油田注水也有较好的效果，它具有缓蚀和杀菌双重作用。

油田污水及注水系统常用的缓蚀剂见表 3-1。

表 3-1　油田污水及注水系统常用缓蚀剂

名称	主要成分	物化性质及使用方法
CT2-7 / CT2-10	有机胺盐	棕红色透明液体，在水中呈均匀透明状态，可与杀菌剂、阻垢剂等配伍使用。对于高矿化度采出水开式投加 15 ~ 20 mg / L，闭式投加 15 mg / L
HS-13	油酰肌氨酸盐	淡黄色液体，下层有少量絮状物。用于油田污水处理和回注系统时，先将药剂摇匀，稀释成浓度为 1% ~ 2% 的水溶液即可
SH-1	聚磷酸盐、锌盐及其他	白色粉末。用于水系统能在金属表面形成一层致密的保护膜。还可作清洗剂和预膜剂使用
PTX-CS	聚氧乙烯烷基苯基醚磷酸酯	橙黄或淡黄色液体，易溶于水
WT-305-2	唑类化合物	微黄色方针状固体
KS-1	咪唑啉类	橙黄色透明液体
苯并三唑	$C_5H_5N_3$	淡褐色至白色结晶粉末

第四节 阻垢剂

一、阻垢剂的分类

阻垢剂是一类化学药品的总称,通过它的加入可以防止和阻止水垢的生成。从阻垢机理方面,阻垢剂可分为晶体生长抑制剂和阻碍晶体生长和正常聚集的分散剂;从化学组成方面,油田常用的阻垢剂可分为无机磷酸盐、有机磷酸及其盐类、聚合物及复配型复合物等。

晶体生长抑制剂能扩大物质结晶的介稳区,在相当大的过饱和程度上将结垢物质"稳定"在水中不析出。当水中产生微小晶核时,它们强烈地吸附在晶核上,占据表面能最高的位置,降低晶粒的表面能。它们将晶核和进入晶体的那些离子隔开、阻止晶粒的生长,又妨碍晶粒互相碰撞长大。即使晶体能长大,由于离子不能按正常晶格排列,晶体将畸变,晶格会扭曲,晶粒之间的聚集困难,难于形成致密而牢固的垢层。聚磷酸盐是性能优异的碳酸钙晶体生长抑制剂。膦化物和聚合物对碳酸钙和硫酸钙,甚至对磷酸钙等都有良好的阻垢作用。

阻碍晶体生长和正常聚集的分散剂一般属于阴离子型或非离子型的聚合物,如聚丙烯酸盐和聚丙烯酰胺等。污垢是结垢物的晶粒、腐蚀产物和悬浮物等微粒聚结生长而成的,这些微粒表面带负电荷。加入水中的分散剂为高分子量的链状阴离子(如聚丙烯酸盐)或非离子的聚合物(如聚丙烯酰胺),它们吸附在微粒的上面,将微粒包围,阻碍微粒互相接触和碰撞而长大和聚集,使微粒能较长时间地分散在水中,随水流动,随排污水排出系统。

作分散剂用的聚合物的分子量要适当,最佳为 1 000 ~ 50 000。分子量太小,分散作用差;分子量太大即聚合物的链太长,反而使粒子絮凝成大团粒而导致产生污垢。

二、油田常用的阻垢剂

(一)EDTMPS
化学名称:乙二胺四亚甲基膦酸钠。

物化性质:淡黄色或棕黄色透明黏稠液体。溶于水,不溶于或微溶于醇、酮、脂肪烃等有机溶剂。不水解,化学和热稳定性好,212 ℃左右分解。

(二)DCI-01 复合阻垢缓蚀剂
主要成分:三元醇磷酸酯和锌盐。

物化性质:褐色液体。相对密度为 1.3 ~ 1.4,pH 值(1%水溶液)为 1.5 ~ 2.5。无机磷酸盐含量(以 PO_4^{3-} 计)3.5%,有机磷酸盐含量(以 PO_4^{3-} 计)9.0%,氯化锌含量(20.5 ± 0.1)%,产品具有缓蚀阻垢作用,分散性能好,使用的水质离子宽容度大,常与聚羧酸合用,pH 值控制在 7.8 ~ 8.5。

(三)改性聚丙烯酸
主要成分:以丙烯酸为主的二元共聚物与其他聚合物的复合物。

物化性质：淡黄色液体。pH 值 1.0 ~ 3.0，相对密度为 1.13。化学性能稳定，有效成分含量(30 ± 0.2)%。该产品能阻止水溶液中碳酸钙和磷酸钙产生，在较高 pH 值(8.5 ~ 9.0)条件下，对阻止磷酸钙垢有明显效果。

第五节　破乳剂

乳状液是一个多相分散体系，其中至少有一种液体以液珠的形式均匀地分散在一个与其不混溶的液体之中。液珠的直径通常大于 0.1 μm。通常将以小液珠形式存在的相称为分散相或内相，作为分散介质的相称为连续相或外相。这种体系一般很不稳定，需要加入第三种物质——乳化剂，体系才会具有一定的稳定性。也就是说，稳定的乳状液至少由三部分组成：两种液体和乳化剂。两种液体分别称为"水"和"油"，其中"水"包括水和水溶液，"油"为不溶于水的各类有机液体。乳化剂一般可分为如下四类：①表面活性剂；②高分子化合物；③固体微粒；④液晶。

作为多相分散体系，乳状液具有巨大的相界面和较高的界面能。因此，在油、水和乳化剂共存的情况下，自然形成乳状液的情形很少。乳状液的形成需要外界对油、水和乳化剂体系作功，其方式有摇荡、射流、搅动、流动、超声波等。

一、原油乳状液的形成

在原油开采过程中，原油和水同时从地层中经油管流向地面，并最终经管道输送到储油罐。在此过程中，原油和水流经喷嘴、阀门、弯头、管道、抽油机，经受剧烈的机械剪切而形成乳状液。在化学驱采油过程中，加入的表面活性剂或碱与原油中酸性化合物形成的表面活性物质具有较强的界面活性，可明显降低油水界面张力，使原油和水在油层内流动过程中形成乳状液。

原油乳状液主要有两种类型：一种是水以极细微的颗粒分散于油中，称为"油包水"型(W / O)乳状液。在一次采油阶段前期，采出的原油多为此种类型乳状液。世界上各油田所遇到的油水乳状液大多数属于 W / O 型，其内相水滴的直径一般在 0.1 μm 以上，在普通显微镜下可观察到液滴的存在。另一种是油以极细微颗粒分散于水中，称为"水包油"型(O / W)乳状液。到二次采油后期和三次采油阶段，油层含水增多，高达 30% ~ 70% 甚至 90% 以上，采出的油逐渐出现 O / W 乳状液，甚至这种乳状液成为主要的存在形式。在少数情况下，还有圈套式乳状液，即"油包水包油"型(O / W / O)和"水包油包水"型(W / O / W)乳状液，其内外相可达 6 至 8 层之多。

乳状液的形成可增加油水在孔隙介质中的流动阻力，扩大驱替液的波及剖面，提高原油的最终采收率。但由于此类乳状液往往比较稳定，给地面上油水分离带来困难。

油水采出液在联合站经过油水分离后，原油中的含水降至小于 0.5%，并以乳化形式存在，此时的原油实际上是 W / O 型乳状液。而分离出来的污水中还含有少量的原油，含油量不能超过 0.05%，形成 O / W 型乳状液。由于污水中的原油液珠很小，采用一般方法很难分离。

二、原油乳状液的破乳原理

(一)原油乳状液的稳定机理

1. 界面膜稳定

原油中天然界面活性化合物具有较好的界面活性，可明显降低原油和水的界面张力，并在油水界面形成界面膜。在常温下，原油与水的界面张力一般在 15～40 mN/m 范围。由沥青质、胶质等组分形成的界面膜具有一定的结构和相当的强度，此界面膜可有效地阻止液珠聚并，并且界面膜强度越大，乳状液越稳定。由于大部分原油乳状液为 W/O 型，除了油相有较高的黏度外，界面膜稳定起着十分重要的作用。

2. 固体颗粒稳定

一般情况下，原油中含有沥青质、蜡、泥沙等固体颗粒。当温度低于 100 ℃时，相对分子量较大的沥青质呈固体微粒状。当温度低于原油的析蜡点时，相对分子量较大的蜡组分会从原油中析出，形成蜡晶。由于原油中的沥青质、蜡质成分具有界面活性，所形成的固体颗粒表面部分为油相润湿，部分为水相润湿，因此，很容易聚集在油水界面，增加乳状液的稳定性。

原油中的泥沙通常具有较好的吸附性能，可将原油或水中的界面活性化合物吸附到表面上，改变其润湿性，形成部分亲油、部分亲水的表面。因此，泥沙颗粒也会聚集在油水界面处，成为原油乳状液稳定剂。

3. 空间稳定

大量研究表明，沥青质组分是原油乳状液最重要的乳化剂，可在油水界面形成界面膜。由于沥青质分子是一种大分子的聚集体，具有一定的立体结构，因此与一般表面活性剂分子在界面形成的界面膜不同，沥青质形成的界面膜具有一定的立体结构，或者说，由沥青质分子形成的界面膜的厚度更厚。沥青质界面膜的结构很可能与大分子聚合物吸附在油水界面的情形类似，使液珠难于接近和接触，起到空间稳定的作用。

另外，采用聚合物驱技术采出的原油乳状液，在界面上，可吸附一定量的聚合物分子，而起到空间稳定的作用。

4. 双电层稳定

一般情况下，对于 O/W 型乳状液双电层稳定往往起很重要的作用。在含油污水中，油滴表面往往带电而形成双电层，阻止油滴的聚并。

5. 液晶稳定

在某些化学驱油条件下，由于中等链长脂肪醇、表面活性剂的协同作用，在一定条件下可能在界面上形成液晶(即微乳液)。由于微乳液为热力学稳定体系，因此，此类原油乳状液十分稳定。

(二)原油乳状液的破乳机理

乳状液的稳定性受到破坏，油、水两相分离称为破乳。破乳机理主要有以下几种。

1. 破坏界面膜

乳状液的稳定机理最基本的是界面膜稳定，而界面膜的稳定主要决定于表面活性剂在界面的吸附/脱附动力学特性、在水相及油相中的溶解度、界面流变性，如界面张力梯度、界面黏度及界面弹性等。原油乳状液亦是如此，如何破坏由沥青质、胶质等界面活性化合物形成的界面膜或减弱其强度是实现原油乳状液破乳最关键的一步。

2. 絮集

对于含油污水形成的 O／W 型乳状液，由于油珠直径很小及双电层等作用，在重力场中油珠不易絮集和聚并而比较稳定。加入絮集剂可使小油珠快速聚集并进一步发生聚并，形成较大的油珠，加速油珠与水的分层和油水的彻底分离。

聚集剂的类型可根据乳状液的稳定机理进行选择，比如乳状液是双电层稳定还是固体颗粒稳定为主，应根据具体情况确定。

(三)原油乳状液的破乳方法

目前常用的破乳方法包括机械破乳、电破乳和化学破乳。

机械破乳方法包括重力沉降、离心分离、纤维床过滤和超级过滤等。

在物理法破乳方面，对 W／O 型乳状液利用电场的作用使水珠发生变形，并进一步改变界面活性化合物在界面膜内的分布，导致界面膜的破坏和水珠的聚并。

通过向乳化液中投加化学药剂实现破乳目的的方式为化学破乳，所投加的化学药剂为化学破乳剂。对破乳剂的最基本要求，其一是界面活性高于原成膜化合物，使之能快速地扩散并吸附到油水界面，与原成膜化合物发生反应或将部分原成膜化合物顶替出油水界面；其二是所形成的新界面膜强度低于原界面膜，减弱界面膜的稳定作用；其三是能快速地扩散到分散的液珠中。

化学破乳剂一般均为表面活性剂。破乳剂在油水界面的"吸附"、"顶替"作用和对液珠的"絮集"、"聚并"作用是化学方法破乳的主要机理，其关键是改变界面膜的特性，降低油水界面膜的强度。由于破乳剂分子的热运动，破乳剂分子会扩散并吸附在油水界面上，部分置换原来的成膜物质；破乳剂分子与原成膜物质的混合膜强度，低于原来的膜强度，所以它能促使液珠的聚并，降低乳状液的稳定性。

三、油田常用化学破乳剂

国内外破乳剂的发展过程大体经历了三个阶段：①用油脂作原料，合成磺酸盐、硫酸酯盐等典型的表面活性剂；②用石油化工产品合成原料生产表面活性剂尤其是由氧化烯制成的嵌段聚合物——聚乙二醇醚类及酯类；③目前阶段，利用新发展的有机合成技术制备特殊的表面活性剂及各种均聚物。

(一)油包水(W／O)型破乳剂

1. 醇类聚醚破乳剂

醇类聚醚破乳剂使用的起始剂有一元醇、二元醇、甘油、季戊四醇等。主要有 BP 系列、SP169、PEG 系列以及多元醇聚醚。

2. 多乙烯多胺嵌段聚醚破乳剂

用做破乳剂的多烯多胺具有通式 $NH_2(ANH)_nH$，这里 A 是烯基，如$(CH_2)_x$，$x=2\sim10$ 或更大。国内使用较多的该类破乳剂主要是 AE 和 AP 两种。

3. 酚醛树脂系列破乳剂

烷基苯酚与 EO、PO 发生共聚生成的嵌段聚醚是一种较好的非离子表面活性剂，对原油乳状液具有较好的破乳脱水效果。常用的酚是对叔丁基苯酚、对壬基苯酚、对十二烷基苯酚。目前国内牌号为 AR 的破乳剂就是酚醛聚醚。

4. 其他破乳剂

包括含硅破乳剂、酚胺树脂类、聚磷酸酯、丙烯酸聚合物破乳剂等。

(二)水包油(O／W)型破乳剂

目前，世界上许多大油田都进入了二次采油、三次采油阶段，注水驱油的普遍应用以及蒸汽驱油、各种化学驱油等强化采油技术的广泛应用，酸化、压裂、堵水、调剖等多种增产措施的实施，油田采出液中水包油(O／W)乳状液的比例越来越大，O／W 乳化程度更加严重。因此，随着油田开发，油田采出液中 O／W 乳状液的破乳、含油污水的除油处理问题将日益突出。

水包油型破乳剂(国外称之为反相破乳剂)是水包油乳状液的破乳剂。国内外从 20 世纪 70 年代末相继开发出一系列表面活性剂、聚合物，用于 O／W 乳状液的破乳及含油污水除油。

迄今为止，国内外用做水包油型破乳剂的有低分子电解质、醇类、表面活性剂、聚合物。

1. 低分子电解质、醇类

电解质主要有多价金属盐，如 $MgCl_2$、$CaCl_2$、$Al(NO_3)_3$、$AlCl_3$、$FeCl_3$；酸类，如 H_2SO_4、HCl、HNO_3 等。电解质主要通过减少油珠表面的负电性和改变乳化剂的亲油亲水平衡而起作用。有时酸可破坏乳化剂分子，使其失去界面活性。

低分子醇类可以分为水溶性醇(如甲醇、乙醇、丙醇)和油溶性醇(如己醇、庚醇)。醇主要通过改变油、水相的性质，使乳化剂移向油相或水相从而起到破乳作用。

20 世纪 70 年代末到 80 年代初，主要是用电解质和醇类作水包油型破乳剂，但是由于电解质和醇的加药量大，形成含水率高的浮渣，很难脱水，处理后的水中含有一定量的残留破乳剂，造成二次污染，而且除油效果不理想，目前基本上不再使用。

2. 表面活性剂

用于 O／W 乳状液破乳的表面活性剂主要有阳离子型、阴离子型和非离子型表面活性剂，几乎所有用于 O／W 乳状液破乳的表面活性剂都是由胺或胺的衍生物反应得到。表面活性剂通过与乳化剂反应形成不牢固吸附膜和抵消作用引起 O／W 乳状液破乳。

(1)阳离子型表面活性剂。这类破乳剂主要是季铵盐类表面活性剂。季铵盐带有正电荷，因而可以起到电中和作用，其分子的碳氢链具有亲油性，易于吸附在油滴上，有利于破乳。用卤代烃、硫酸二甲酯、环氧化合物等季铵化剂对胺进行铵化，可得季铵盐。

(2)阴离子型表面活性剂。这类破乳剂主要是二硫代氨基甲酸盐。

(3)非离子型表面活性剂。这类破乳剂主要是聚胺类。由于含有较多个氨基，多胺具有很好的水溶性及相当高的界面活性，加之油滴表面带有负电荷，因此多胺很容易吸附于油水界面。一旦吸附于油水界面，多胺或是替代原有的表面活性剂，或是分子上足够长的水溶性基团与油溶性石油磺酸盐形成具有良好水溶性的胺盐，从而破坏了石油磺酸盐的乳化作用而使 O／W 乳状液破乳。

3. 聚合物

(1)阳离子聚合物。该类破乳剂几乎全部为含有季铵盐的聚合物。阳离子聚合物对 O／W 型乳状液有中和电荷、吸附桥联、絮集聚结等作用，因而具有良好的反相破乳功能。

(2)非离子聚合物。这类聚合物主要是聚醚和聚酯。

(3)两性聚合物。两性聚合物通过亲水性单体(如羧酸、酰胺)与疏水性单体(如含氨基的羧酸酯)聚合而成。例如，(甲基)丙烯酸(盐)，(甲基)丙烯酰胺，烷基丙烯酰胺、烷基丙烯酸酯三种单体聚合而成三元共聚物。用做破乳剂时，搅拌条件下先加入阳离子聚合物中和油滴的表面电荷，最好使油滴表面带有少量的正电荷，然后加入经疏水改性的水溶性三元共聚物。

4. 破乳剂的复配

由于不同的破乳剂具有不同的破乳机理，而且含油污水的组成和特性随地理位置的不同而存在较大的差异，一个地方适用的药剂在另一个地方可能效果不好。事实上，上述各类 O／W 型破乳剂通过复配往往能够得到优于单剂的破乳效果。例如，烷氧基化酚醛树脂与多烯多胺复配，石油磺酸盐与无机盐复配，低分子醇与盐复配，铵盐、醇与盐的复配。

第四章 油田水处理化学剂性能评价技术

第一节 混凝剂

在进行污水净化处理时，不同的水质，对混凝剂的品种、投加量的要求也不尽相同，必须通过混凝试验确定。通常的做法是先在实验室内进行模拟试验，筛选出处理效果最佳的混凝剂品种及投加量。然后在实验室模拟试验的基础上，进行工业流程试验，进一步加以调整、完善，达到预期的混凝效果。

一、混凝剂处理效果评价原理

在实验室，通常使用烧杯沉降试验法来评价混凝剂的处理效果或筛选混凝剂及其配方。其做法是：将待评定的混凝剂按预先确定的剂量和次序加入待处理的水中，经快速搅拌和慢速搅拌后观察絮团形成时间、絮团相对尺寸、沉降时间和絮团沉积层外观。取上层清液进行必要的水质分析以评定混凝剂的混凝效果。

试验用水样为现场污水或自配水。现场污水样是取自污水站未处理过的油田污水，放置在避光阴暗处，或在 4 ℃下冷藏，从取样到使用不得超过 24 h。

二、混凝剂处理效果评价程序

(一)溶液配制

(1)絮凝剂(混凝剂)：在试验前 24 h 内，制备成浓度为 10.0 g/L 的溶液或悬浮液；

(2)助凝剂：在试验前 24 h 内，制备成浓度为 1.00 g/L 的溶液；

(3)自配水样：在 1 L 水中加入 60 g 高岭土粉(平均粒度为 70 μm ± 30 μm)，高速搅拌 20 min 混匀，在室温下密闭养护 24 h 后使用。

(二)仪器及材料

(1)多联搅拌器：转速在 20 ~ 150 r/min 之间连续可调；

(2)烧杯：1 000 mL；

(3)试管：50 mL；

(4)分析天平：感量 0.1 mg。

(三)试验程序

含油污水试验最好在现场进行。如取回水样在室内进行时需用恒温水浴间接加热到与现场水温基本一致。

一般用四联搅拌机进行搅拌。先用 4 个 1 000 mL 筒形分液漏斗经 0.5 h 沉降将浮油去除，沉降后水从分液漏斗底部分别放入 4 个 1 000 mL 烧杯中。

1. 絮团首次(开始)形成时间

(1)将 4 个盛有 1 000 mL 水样的烧杯并排放在搅拌机的下方，使搅拌桨偏离烧杯中心，但离烧杯壁约 6 mm。

(2)将预定剂量的絮凝剂(混凝剂)溶液加到每个试管中，然后用水稀释至 50 mL。

(3)启动多联搅拌器，在转速 120 r/min 下快速搅拌 10 min 后，按预定的次序将每种溶液连续快速加入每个烧杯中。加完所有溶液后，快速搅拌 1 min。

(4)降低转速至 20 ~ 60 r/min，慢速搅拌 20 min。记录首次观察到絮团形成的时间。转速的选择要保证整个慢速搅拌时间内，絮团能均匀地悬浮，并不致使已经形成的絮团破碎。

2. 絮团沉降时间

慢速搅拌之后，移去搅拌桨，并观察絮团的沉降。记录絮团相对尺寸和大部分絮团沉降到烧杯底所需要的时间。

3. 絮团沉积层

静置沉降 20 min 后，观察在烧杯底部形成的絮团沉积层的厚度及外观。

4. 水质分析

用吸管或虹吸管从烧杯中水样深度一半处移取足够体积的上层清液，进行 pH 值、悬浮固体含量、粒度、含油量、含铁量和其他必要的水质分析。

5. 评定结果表述

评定结果包括：在相同试验条件下，絮凝时间的长短、絮团沉降速度的快慢、上层清液中悬浮固体、油分、铁等杂质的含量多少和与其他水处理剂配伍性的好坏(见表 4-1)。

三、混凝剂的筛选

(一)粗选

所谓粗选是指粗略地选出合适的混凝剂种类和大致的用量范围，试验时对混凝沉淀现象进行描述，不进行水质分析。粗选一般使用四联搅拌机并用优选法进行。设 4 个烧杯中混凝剂的加量分别为 a、x_1、x_2、b，a 和 b 分别代表最小及最大投量，根据经验来确定。x_1、x_2 分别代表最佳投药量，可用 0.618 优选法来选择，计算公式如下

$$x_2 = a + 0.618(b - a) \tag{4-1}$$

$$x_1 = a + b - x_2 \tag{4-2}$$

在水处理时，当需要投加多种混凝剂或助凝剂，或进行多因素混凝效果试验时，采用正交试验法可以最少的试验工作量，找到最佳配方组合，达到事半功倍的效果。

(二)精选

在粗选确定混凝剂种类及投药量最佳范围后，进一步缩小投量范围并进行 pH 值、碱度测定，同时要进行含油量、悬浮固体物含量等项目分析。精选试验最好在筒形分液漏斗内进行。试验方法除上述外还应补充做到：

(1)测原水含油量、悬浮物含量。

(2)将筒形分液漏斗经 1 h 沉淀后分两部分取样分析：分别取底部和中间最清部分水样各 50 mL，分别测含油量、悬浮物含量及铁含量。底部样主要测出沉淀量，为沉泥

设计提供依据。中间水样水质分析一是看油、铁、悬浮物去除率，二是看绝对含量及是否有可能经过过滤后达到水质标准。

表 4-1　絮凝(混凝)剂评定报告记录

水样名称＿＿＿＿＿＿＿＿　　取样地点＿＿＿＿＿＿＿＿　　水样体积＿＿＿＿＿＿＿＿
水样温度＿＿＿＿＿＿＿＿　　pH 值＿＿＿＿＿＿＿＿　　　试验日期＿＿＿＿＿＿＿＿

	烧 杯 编 号					
	1	2	3	4	5	6
絮凝剂(mg/L[①])						
快速搅拌转速(r/min)						
快速搅拌时间(min)						
慢速搅拌转速(r/min)						
慢速搅拌时间(min)						
絮团首次形成时间(min)						
絮团相对尺寸[②]						
沉降时间(min)						
絮团沉积层厚度和外观[③]						
温度(℃)						
pH 值						
悬浮固体含量(mg/L)						
油分(mg/L)						
铁(mg/L)						

注: ①按预定加入次序；
　　②絮团小、较小、较大、大；　　　　　　　　　分析人＿＿＿＿＿＿＿＿
　　③絮团沉积层密、较密、较松、松、厚度(mm)。　审查人＿＿＿＿＿＿＿＿

第二节　杀菌剂

在不同的使用领域，对杀菌剂的性能要求也有所不同，但具有以下共性：杀菌剂投加量少、杀菌效率高、杀菌速度快、药效持续时间长、水溶性好、无腐蚀性、与其他药剂配伍性好。油田污水处理及注水系统用杀菌剂的性能评价，主要包括杀菌效果、水溶性、腐蚀性和配伍性等。

一、准备工作

(一)杀菌剂药液的配制
将杀菌剂配制成质量分数为 1%浓度的杀菌剂溶液，备用。

(二)含菌液的制备
一般来讲，同一种杀菌剂，用于不同的水质，其杀菌效果往往存在较大差异。因此，进行杀菌剂筛选评价时，最好使用现场所处理的水进行试验。使用干净无菌取样瓶取样，在取样前，一般以 5.0～6.0 L/min 流速使水流放至少 3 min，以便取得有代表性的水样。所取水样应在 24 h 内进行接种，所取水样体积一般为进行所有试验所需体积的 2～3 倍，不得少于 100 mL。

当现场污水中细菌含量较低，达不到评价杀菌剂用水要求时，可以向水中投加一定量的同类含菌液，在现场温度下培养 24～48 h。

若取不到现场水样，可以在室内配制含菌液。方法是把规定菌种带菌原液与相应培养基以 $1+100(V_1+V_2)$ 混合接种，在培养箱中 37 ℃恒温 24 h，若颜色变黑或变浑浊，说明有活菌存在。把高浓度有生长活力的细菌培养液用生理盐水稀释到适当浓度。

二、杀菌剂性能评价

(一)杀菌效果试验

采用绝迹稀释法，测定加杀菌剂前后水样中硫酸盐还原菌(简称 SRB)、腐生菌(简称 TGB)含量，计算杀菌率。根据加杀菌剂前后水样中细菌含量变化和杀菌率来评价杀菌效果。

(1)将洁净的 1 mL 注射器(或卡介苗注射器)置于压力蒸汽消毒器中，在 0.5 MPa 压力下，灭菌 20 min。

(2)取一组烧杯，分别量取 100 mL 水样置于其中，再分别加入所需量杀菌剂溶液，混匀。一般情况下，可按 100 mL 水样分别加入 0.3、0.4、0.5、0.6、0.7、0.8、0.9、1.0 mL 质量分数为 1%的杀菌剂溶液，即杀菌剂投药量为 30、40、50、60、70、80、90、100 mg/L。

(3)在与现场水温相同的条件下放置杀菌 1 h。

(4)应用绝迹稀释法测定加杀菌剂前后水样中的细菌含量，测定方法见本书第六章油田注水水质检测技术。

(5)按下式计算杀菌率

$$Y = \frac{B_1 - B_2}{B_1} \times 100\% \qquad (4-3)$$

式中　Y ——杀菌率(%)；

　　　B_1 ——加杀菌剂前水样中细菌含量，个/mL；

　　　B_2 ——加杀菌剂后水样中细菌含量，个/mL。

(二)最低致死浓度试验

在评价杀菌剂时，往往由最低致死浓度来确定杀菌剂效果的好坏，即在观察培养后的细菌瓶中，全部没有阳性反应瓶时所使用的最低杀菌剂浓度为最低致死浓度。

(三)杀菌剂药效延续时间试验

用现场水样或室内配制的带菌水样，投加杀菌剂后，分别放置一定的时间，如 15、30、60、90 min 等。放置水样时，容器须用消毒棉花塞紧，取放置不同时间的水样 1 mL，进行杀菌效果试验，从而得知该杀菌剂的杀菌效果与杀菌时间的关系。

(四)水溶性

用蒸馏水配制质量分数为 1%的杀菌剂溶液，观察是否混合均匀、有无沉淀。溶液清澈透明或混合均匀、无沉淀，说明杀菌剂水溶性好，否则说明水溶性差。

(五)腐蚀性试验

将欲评价的杀菌剂按一定浓度(一般是现场使用的浓度)投加到待处理的水样中，测定加杀菌剂前后水样的腐蚀率，分别记为 P_1、P_2。按以下规定评定腐蚀情况：

若 $P_1 > P_2$，则有缓蚀性；

若 $P_1 = P_2$，则无腐蚀性；

若 $P_1 < P_2$，则有腐蚀性。

加杀菌剂前后水样腐蚀率的测定方法，详见本书第六章。

(六)配伍性

(1)在过滤后的水样中，按现场使用浓度加入其他水处理剂，混匀备用。

(2)测定上述水样及再加入杀菌剂后水样的膜滤系数(测定方法详见本书第六章)，分别记作 MF_1、MF_2。

(3)测定上述水样及再加入杀菌剂后水样的杀菌率，分别记作 Y_1、Y_2。

(4)按以下规定评价配伍性：若 $MF_2 \geqslant MF_1$ 且 $Y_2 \geqslant Y_1$，则配伍性好；否则，配伍性不好。

第三节　缓蚀剂

缓蚀剂的测试评价主要是在各种条件下，对比金属在腐蚀介质中，有无缓蚀剂时的腐蚀速度，从而确定缓蚀效率、最佳添加量和最佳使用条件。

缓蚀剂的性能可以通过缓蚀率 η 表征。缓蚀率越大，缓蚀性能越好。

$$\eta = \frac{\Delta m_0 - \Delta m_1}{\Delta m_0} \times 100\% \quad \text{或} \quad \eta = \frac{i_k^0 - i_k}{i_k^0} \times 100\% \tag{4-4}$$

式中　　η ——缓蚀率(%)；

Δm_0 ——空白试验(无缓蚀剂)中试片的质量损失，g；

Δm_1 ——加药试验(有缓蚀剂)中试片的质量损失，g；

i_k、i_k^0 ——用电化学方法测定的有、无缓蚀剂条件下相应的腐蚀电流密度值。

评价缓蚀剂的缓蚀性能，还需检测其后效性能即缓蚀剂浓度从其正常使用浓度显著降低后仍能保持其缓蚀作用的一种能力。这表明缓蚀剂膜从形成到被破坏能维持的时间。因此，对缓蚀剂除了要求其具有较高的缓蚀效率以减少缓蚀剂用量、减少加入次数和总用量外，还希望具有较好的后效性能。为评价后效性能，需在较长的一段时间内进行试验。

注水水质标准规定，注入水的平均腐蚀率应不大于 0.076 mm/a。所以，在油田注水系统，通常使用腐蚀速率来评价缓蚀剂的优劣。

平均(均匀)腐蚀率的计算公式如下：

$$r_{\text{corr}} = \frac{8.76 \times 10^4 \times (m - m_t)}{S_1 \cdot t \cdot \rho} \tag{4-5}$$

式中　r_{corr}——平均(均匀)腐蚀速率，mm/a；

　　　m——试验前的试片质量，g；

　　　m_t——试验后的试片质量，g；

　　　S_1——试片的总面积，cm^2；

　　　ρ——试片材料的密度，g/cm^3；

　　　t——试验时间，h。

对油田用缓蚀剂的性能评价包括：缓蚀性、溶解性、乳化倾向、配伍性以及岩心伤害试验等。

一、缓蚀剂缓蚀性能评价方法

(一)常压静态腐蚀速率及缓蚀率测定方法

1. 方法提要

将已称量的金属试片分别挂入已加和未加缓蚀剂的试验介质中，在规定的条件下浸泡到一定的时间，然后取出试片，经清洗干燥处理后称量，根据试片的质量损失分别计算出平均腐蚀速率和缓蚀率。同时测出最深的点蚀深度，计算点蚀速率。

2. 试验条件

(1)试验温度按现场实际温度确定，一般选择 50 ℃。

(2)试验时间按 JB/T7901—1995 的规定执行，一般选择 7～14 d 为一周期。

(3)试验容器应符合 JB/T7901—1995 中 4.1 的规定，一般采用橡胶塞密封的广口玻璃瓶。支持系统应符合 JB/T7901—1995 中 4.3 的规定，一般采用塑料挂具。

(4)试验介质采用油田采出水或人工自配模拟水。试验介质的用量为每 1 cm^2 试片面积不少于 20 mL。

(5)试片。

① 试片的材质应与现场实际应用的钢材相同，一般使用 A3 钢。

② 试片的制备应符合 JB/T7901—1995 中 3.2 的规定。试片的形状推荐采用长方体，外形尺寸为 76 mm×13 mm×1.5 mm 或 50 mm×13 mm×1.5 mm。在一端距边线 10 mm 处钻一直径为 4 mm 的小孔，并打号。同批试验目的的试片，其形状及规格应相同。

(6)酸清洗液组成。

① 取盐酸(分析纯)100 mL，六亚甲基四胺(分析纯)5～10 g，用水稀释到 1 000 mL。

② 取硫酸(分析纯)100 mL，有机缓蚀剂(分析纯)5～10 g，用水稀释到 1 000 mL。

③ 取硝酸(分析纯)105 mL，苯胺(分析纯)2.0 g，六亚甲基四胺(分析纯)2.0 g，硫氰酸钾(分析纯)2.0 g，用水稀释到 1 000 mL。

3. 试验步骤

(1)按试验要求用容量瓶配制缓蚀剂溶液。该溶液应在试验当天或前一天配制。

(2)将试片先用滤纸擦净，然后放入盛有沸程为 60～90 ℃的石油醚或丙酮的器皿中，用脱脂棉除去试片表面油脂后，再放入无水乙醇中浸泡约 5 min，进一步脱脂和脱水。取出试片放在滤纸上，用冷风吹干后再用滤纸将试片包好，贮存于干燥器中，放置 1 h 后用游标卡尺测量尺寸并称量，精确至 0.1 mg。

(3)试验介质采用油田采出水时，先用氮气吹扫取样用下口瓶，排除其中的空气后，采用排气取样法采集水样，严防进入空气。现场取样后密封，24 h 内使用。

(4)试验介质采用自配模拟水时，可根据现场实际水质和主要离子成分用符合要求的试剂配制。用氮气驱氧 2~4 h。当水中氧符合要求时，再用气瓶导入二氧化碳气或用启普发生器导入硫化氢，使自配模拟水能最大限度地模拟现场采出水。

(5)将配制好的缓蚀剂溶液按设计质量浓度值用移液管分别加入试验容器中。

(6)用氮气吹扫试验容器，排除其中的空气，再用橡胶管将试验介质分别导入试验容器中。导入时橡胶管应插入液面以下并紧贴瓶壁，以防进入空气。然后随液面的上升逐步提高橡胶管，液面到瓶颈时挂入试片，用橡胶瓶塞密封。同时做不加缓蚀剂的空白试验。

(7)每组试验至少做三个平行试验，每个平行试验容器中挂三个试片。试片不允许与容器壁接触，试片间距应在 1 cm 以上，试片上端距液面应在 3 cm 以上。

(8)将试验装置放入恒温箱中，在设定温度下恒温放置一个试验周期。

(9)将已达到试验周期的试片取出，观察、记录表面腐蚀状态及腐蚀产物黏附情况后，立即用清水冲洗掉试验介质，并用滤纸擦干。

(10)将试片放入沸程为 60~90 ℃的石油醚或丙酮的器皿中，用脱脂棉除去试片表面油污后，再放入无水乙醇中浸泡约 5 min，进一步脱脂和脱水。将试片放入酸清洗液中浸泡 5 min，同时用镊子夹少量脱脂棉轻拭表面的腐蚀产物。从清洗液中取出试片，用自来水冲去表面残酸后，立即将试片浸入氢氧化钠溶液(60 g/L)中，30 s 后再用自来水冲洗，然后放入无水乙醇中浸泡约 5 min，清洗脱水两次。取出试片放在滤纸上，用冷风吹干，然后用滤纸将试片包好，贮于干燥器中，放置 1 h 后称量，精确至 0.1 mg。

(11)观察并记录试片表面的腐蚀状况，若有点蚀，记录单位面积的点蚀个数，并用点蚀测深仪测量出最深的点蚀深度。

4. 试验结果的表示和计算

(1)均匀腐蚀速率 r_{corr} 按式(4-5)计算。

(2)缓蚀率 η 按式(4-4)计算。

(二)室内动态腐蚀速率及缓蚀率测定方法(旋转挂片法)

1. 方法提要

将金属试片分别挂入已加和未加缓蚀剂的试验介质中，在规定的温度和线速度下旋转一定的时间，然后取出试片，经清洗干燥处理后称量，由试片的质量损失计算出平均(均匀)腐蚀速率和缓蚀率。同时测出最深的点蚀深度。

2. 试验装置

试验装置见图 4-1。试验装置必须符合以下要求：

(1)水温控制精度 ±1 ℃；

(2)旋转轴转速 40~150 r/min，试片线速度 0.20~0.60 m/s，精度 ±3%；

(3)旋转轴、试片固定装置和试杯需用电绝缘材料制作；

(4)试杯必须能密封、隔氧，试杯盖应有固定的进、出气口；

(5)每组试片固定装置可安装 2~3 片。

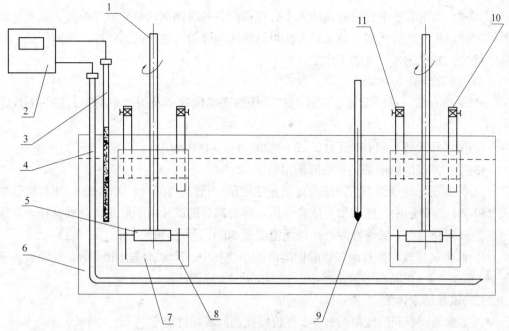

图 4-1　动态腐蚀率测定装置示意图(旋转挂片法)

1—旋转轴；2—控温仪；3—测温探头；4—电加热器；5—试片固定装置；6—恒温水浴；
7—试杯；8—试片；9—温度计；10—进气(液)口；11—出气口

3. 试验条件

(1)试验介质、试验温度、试片与"常压静态腐蚀速率及缓蚀率测定方法"的规定相同。

(2)试片线速度根据实际需要可选用 0.30～0.50 m/s。

(3)对每个试验条件，至少做两组平行试验。

(4)试验周期为 48 h，也可根据实际需要适当延长。

4. 试验步骤

(1)将配制好的缓蚀剂溶液按设计质量浓度值用移液管加入试杯中。

(2)将经过处理、称量的试片安装在试验装置的试片固定装置上，装上已加缓蚀剂的试杯，用氮气驱替空气后，在氮气保护下通过进液管压入试验介质至充满。

(3)将试杯放入恒温水浴中，调整转速，在氮气和水密封下恒温运转 48 h。同时做不加缓蚀剂的空白试验。

(4)当运转时间达到指定值时停止运转，以后处理方法与"常压静态腐蚀速率及缓蚀率测定方法"的规定相同。

二、成膜性能测定方法

(一)方法原理

铁在硫酸铜溶液中与铜离子发生氧化还原反应，铜离子被还原附着在试片表面上形成铜镀层。试片表面在缓蚀剂溶液中形成的保护膜越好，试片表面附着的铜镀层越少。

依据试片表面附着的铜镀层面积的大小，可得到各种缓蚀剂的最佳成膜浓度，从而比较其缓蚀剂成膜性能的优劣。该试验方法可以快速地评价缓蚀剂的成膜性，预测缓蚀剂性能的优劣，减少定量评价的工作量。

(二)试验步骤

(1)试验介质、试验温度、试片与"常压静态腐蚀速率及缓蚀率测定方法"的规定相同。

(2)用水和盐酸配制 pH 值为 2～3 的盐酸溶液 1 000 mL。

(3)用水和硫酸铜配制饱和硫酸铜溶液。

(4)将配制好的缓蚀剂溶液按设计质量浓度值(一般为 100～1 000 mg/L)用移液管加入 250 mL 广口瓶中，然后加入试验介质。将处理后的试片用细尼龙线分别悬挂于含缓蚀剂的试验介质中，加盖密封。在现场温度或 50 ℃下恒温预膜 1 h。

(5)取出试片放入盛有饱和硫酸铜溶液的小烧杯中，计时，浸泡 10 s 后，立即放入盛有 pH 值为 2～3 的盐酸溶液烧杯中，观察试片上的铜镀层。

(三)试验结果评价

以试验所观察到的现象按表 4-2 评价缓蚀剂的成膜性能。

表 4-2　缓蚀剂成膜性能评价

现　　象	评　价　结　果
试片表面全铜镀层	该缓蚀剂在该质量浓度下成膜性不好
试片表面 1/2 铜镀层	该缓蚀剂在该质量浓度下成膜性一般
试片表面 1/3 铜镀层	该缓蚀剂在该质量浓度下成膜性较好
试片表面光亮无铜镀层	该缓蚀剂在该质量浓度下成膜性好

三、水溶性测定方法

(一)方法提要

以水或自来水为溶剂，将缓蚀剂配成体积分数为 10% 的溶液，观察缓蚀剂溶液的分散情况，作为评价缓蚀剂水溶性的依据。

(二)试验步骤

(1)用量筒量取 90 mL 溶剂(水或自来水，要求无色、澄清、无悬浮物及固体沉渣)，加入 100 mL 具塞比色管中，用注射器或移液管向具塞比色管中加入 10 mL 的缓蚀剂样品，盖上瓶塞，摇动 5 min，使其混合均匀。

(2)将已混合均匀含缓蚀剂水溶液的具塞比色管放入已恒温(一般为 30 ℃)的水浴中。

(3)分别观察并记录恒温后 30 min 和 24 h 的现象。

(三)试验结果评价

以试验所观察到的现象按表 4-3 评价缓蚀剂的水溶性。

表 4-3 缓蚀剂的水溶性评价

外 观 现 象		评 价 结 果
恒温 30 min	恒温 24 h	
溶液呈均相，透明	溶液呈均相，透明	溶解性好
溶液呈均相，不透明	溶液呈均相，不透明	分散性好
有不均匀液珠或颗粒分布	分层，有沉淀	溶解、分散性不好

四、乳化倾向测定方法

(一)方法提要

将含有一定质量浓度缓蚀剂的油水混合液上下振动，使其乳化，以乳化液的稳定程度来评价缓蚀剂的乳化倾向。若分层越快、出水越多，乳状液越不稳定，缓蚀剂的乳化倾向就越小。

(二)试验步骤

(1)用采出水或自配模拟水配制 1 000 mg/L 的缓蚀剂溶液。该溶液应在试验当天或前一天配制。

(2)向 100 mL 具塞比色管中分别加入含 1 000 mg/L 的缓蚀剂溶液的采出水或自配模拟水 50 mL，原油或 10 号柴油 50 mL，盖上瓶塞。

(3)将具塞比色管放入已恒温至 50 ℃或现场温度的水浴中，恒温 30 min 后，将盛有混合液的比色管上下振动 200 次后再放入水浴中。

(4)记录静置 10 min 时的油水界面分层情况，观察油相、水相乳化程度，并记录 60 min 时的出水量。

(5)在另一只 100 mL 具塞比色管中做不加缓蚀剂的空白对比试验。

(三)试验结果评价

比较加缓蚀剂与空白试验的油水界面分层情况及出水量，以静置 10 min 时油水界面清晰、静置 60 min 时出水量大于或等于空白试验、乳化层厚度小于或等于空白试验来判定缓蚀剂无乳化倾向。

五、与其他水处理剂的配伍性试验方法

(一)方法提要

将缓蚀剂、杀菌剂、防垢剂等水处理剂按现场使用的质量浓度互相混合后考察其配伍性，分别评价缓蚀剂与杀菌剂、防垢剂单独或混合情况下的缓蚀性能、杀菌性能、防垢性能，以确定缓蚀剂有无减弱或增强各水处理剂性能的作用。各水处理剂有无减弱或增强缓蚀剂性能的作用，作为评价缓蚀剂配伍性好坏的依据。

(二)试验方法

对混合药剂的缓蚀性能、杀菌性能、防垢性能的试验评价，分别按照缓蚀剂、杀菌剂、防垢剂的试验评价方法进行。

六、缓蚀性能现场试验评定方法

(一)方法提要

在油田采出水处理站及回注系统选择合适的部位，以不同方式投加缓蚀剂、杀菌剂、防垢剂、净化剂等水处理剂，对比未投加与投加缓蚀剂前后腐蚀速率、点蚀速率及水质的变化，可在现场直接评价缓蚀剂的缓蚀效果。

(二)准备工作

(1)一般选择腐蚀速率不小于 0.125 mm/a 的油田采出水处理站，作为评价缓蚀剂缓蚀性能的试验地点。

(2)在油田采出水处理及回注系统流程的来水、过滤器前、过滤器后或井口可安装监测腐蚀的现场挂片装置。具体安装及操作按 SY/T 5329—94 中 5.5.6 的有关规定执行，或详见本书第六章有关内容。

(3)试片试验前、后的处理与"常压静态腐蚀速率及缓蚀率测定方法"的规定相同。

(三)试验方法

(1)未投加缓蚀剂前，应调查水质情况，测定采出水中溶解氧、硫化氢、侵蚀性二氧化碳、SRB 和 TGB 含量、含铁量、悬浮固体含量、含油量等。

(2)未投加缓蚀剂前(必要时可先投加其他水处理剂)进行空白挂片试验，周期为 7～14 d，必要时可延长到 30～60 d。至少测三批数据，每批装两片试片。

(3)在正常投加缓蚀剂前，应清洗整个系统，然后再投加较大量的缓蚀剂，一般按正常投加质量浓度的 2～5 倍，连续投加 24 h，进行系统预膜处理。

(4)将配制好的缓蚀剂溶液按使用质量浓度用泵连续投加在合适部位，并采用现场挂片装置测试腐蚀，试验周期与空白试验相同。

(5)取出试片进行处理，对试片腐蚀情况进行观察描述，计算腐蚀速率、缓蚀率及点蚀率。

第四节　阻垢剂

在不同的水处理及应用领域，评价和筛选阻垢剂的方法也不完全相同。在工业循环冷却水、锅炉水处理领域，已形成了一套较为完善的阻垢性能评价方法。评价和筛选阻垢剂的方法主要有：①静态法，包括成垢离子含量法、静态挂片法；②动态模拟法，包括污垢热阻法、动态挂片法、压力降法。

油田水处理有其特殊性，是非循环水处理，因而，评价和筛选阻垢剂的方法与工业循环冷却水、锅炉水也有不同之处。

油田用水阻垢剂的评价和筛选方法有成垢离子含量变化法，动、静态挂片法和模拟管流动法。

一、阻垢性能评价方法一(成垢离子含量变化法)

(一)基本原理

该方法主要原理是：将投加了阻垢剂和未投加阻垢剂的水样在设定的温度下加热一

定时间，通过测定加热前后水中成垢离子如 Ca^{2+}、Mg^{2+} 含量的变化，判定该处理剂的阻垢性能。若投加了阻垢剂的水样加热后，成垢离子的含量不降低或降低较少，则说明阻垢效果优良；反之，则说明阻垢效果较差。

该法适用于有络合或螯合作用的防垢剂如 ATMP、HEDP 和 EDTMP 等有机膦酸防垢剂。

试验用水样可用室内配制的结垢模拟水，也可直接使用现场水。通过分析投加与未投加阻垢剂的现场水中成垢离子含量试验前、后的变化，能够反映出某种阻垢剂在所处理的特定水体中的阻垢性能，测定结果更具实用性。

由于成垢离子含量法这种阻垢性能评价方式是以水中成垢离子含量试验前、后的变化为依据，因而，水中成垢离子含量分析的准确性直接影响着阻垢性能评价结果的准确性。当结垢速率较低时，水中成垢离子含量变化量不大，特别是对于成垢离子含量较高的油田污水来讲，由分析误差所引起的成垢离子含量的波动范围，可能会与因结垢而引起的成垢离子含量的变化量处于同一级别，此时用这种方法难以对阻垢性能作出正确评价。

(二)试验方法

试验用水可用室内配制的结垢模拟水，也可直接使用现场水。试验用水不同，试验方法略有差异。

1. 使用室内结垢模拟水

(1)试液的制备。在 500 mL 容量瓶中加入 250 mL 水，用滴定管加入一定体积的氯化钙标准溶液(浓度为 6.0 mg/mL 左右)，使钙离子的量为 120 mg。用移液管加入 5.0 mL 水处理剂(阻垢剂)试样溶液(浓度为 0.500 mg/mL，以干基计)，摇匀。然后加入 20 mL 硼砂缓冲溶液(pH≈9)，摇匀。用滴定管缓慢加入一定体积的碳酸氢钠标准溶液(浓度约为 18.3 mg/mL，以 HCO_3^- 计)，边加边摇动，使 HCO_3^- 的量为 366 mg，用水稀释至刻度，摇匀。

(2)空白试液的制备。在另一 500 mL 容量瓶中，除不加水处理剂试样溶液外，其他与上述试液的制备相同。

(3)将试液和空白试液分别置于两个洁净的 500 mL 锥形瓶中(配装了 ϕ 5～10 mm，长约 300 mm 玻璃管的胶塞)，两锥形瓶浸入(80±1 ℃)的恒温水浴中(试液的液面不得高于水浴的液面)，恒温放置 10 h。冷却至室温后用中速定量滤纸干过滤。各移取 25.00 mL 滤液分别置于 250 mL 锥形瓶中，加水至约 80 mL，加 5 mL 氢氧化钾溶液(200 g/L)和约 0.1 g 钙—羧酸指示剂。用 EDTA 标准溶液滴定至溶液由紫红色变为亮蓝色即为终点。按下式计算试液和空白试液中钙离子浓度：

$$\rho_{Ca^{2+}}(mg/L) = \frac{40.08V_1c}{V} \tag{4-6}$$

式中　V_1——滴定中消耗 EDTA 标准溶液的体积，mL；

　　　V——所取氯化钙标准溶液的体积，mL；

　　　c——EDTA 标准溶液的实际浓度，mol/L。

(4)阻垢性能的表述。以百分率表示的水处理剂的阻垢性能(η)按下式计算：

$$\eta = \frac{x_2 - x_1}{x_0 - x_1} \times 100\% \tag{4-7}$$

式中　x_0——试验前配制好的试液中 Ca^{2+} 浓度，mg/mL；

　　　x_1——未加水处理剂的空白试液试验后的 Ca^{2+} 浓度，mg/mL；

　　　x_2——加入水处理剂的试液试验后的 Ca^{2+} 浓度，mg/mL。

2. 使用现场水

(1)方法原理。不加防垢剂的空白水样，在一定的结垢因素影响下出现结垢沉淀，水中 Ca^{2+}、Mg^{2+} 含量降低。加入防垢剂的水样，结垢沉淀量减少，水中 Ca^{2+}、Mg^{2+} 含量降低幅度小。将加入防垢剂的水样与不加防垢剂的空白水样相比较，减少的沉淀量与空白水样沉淀量的比值即为阻垢率。

(2)试验方法。准备试验用现场水样，先测出现场水样中 Ca^{2+}、Mg^{2+} 含量。将水样分别装入 5 个 500 mL 或 1 000 mL 烧杯中，依次编号。第 1 号不加防垢剂，为空白样，其他 4 个在搅拌下分别加入不同量的事先配好的防垢剂溶液，使各水样中防垢剂投量分别为 2 ~ 10 mg/L，必要时可加大投量。5 个水样同时搅拌 2 min 后，放入烘箱内，在预定温度(一般按现场实际温度)下恒温 2 ~ 60 h。用 EDTA 络合滴定法分别测定上述烧杯上部水样中 Ca^{2+}、Mg^{2+} 含量。

(3)计算阻垢率、结垢速率。

阻垢率按式(4-8)计算：

$$r_{scal} = \frac{(c - c_0)}{c - c_0} \times 100\% \quad 或 \quad r_{xcal} = \frac{c_i - c_0}{c - c_0} \times 100\% \tag{4-8}$$

式中　r_{scal}——阻垢率(%)；

　　　c——空白水样沉淀前 Ca^{2+}、Mg^{2+} 含量，mg/L；

　　　c_0——空白水样沉淀后水中剩余 Ca^{2+}、Mg^{2+} 含量，mg/L；

　　　c_i——加防垢剂水样沉淀后水中剩余 Ca^{2+}、Mg^{2+} 含量，mg/L。

结垢速率按式(4-9)计算：

$$F_{scal} = \frac{c - c_i}{Tc} \tag{4-9}$$

式中　F_{scal}——结垢速率，1/d；

　　　c——加水处理剂水样沉淀(恒温)前 Ca^{2+}、Mg^{2+} 含量，mg/L；

　　　c_i——加水处理剂水样沉淀(恒温)后 Ca^{2+}、Mg^{2+} 含量，mg/L。

　　　T——恒温时间，d。

在式(4-8)中，$c - c_0$ 为空白水样沉淀量；$c_i - c_0$ 为空白水样沉淀量与防垢水样沉淀量之差。在模拟试验及现场试验中有时通过放入系统中的试片或试棒测出防垢与空白情况下结垢量的大小。此时仍可使用式(4-8)计算阻垢率。

二、阻垢性能评价方法二(挂片法)

(一)挂片法基本原理

将试片(或试棒、试管)悬挂于结垢试验介质中，经过一定时间后取出，对试片进行特殊处理，通过试片试验前后质量的变化计算出结垢量或结垢速率(污垢沉积速率)。加入防垢剂减少的结垢量与不加防垢剂的结垢量的比值即为阻垢率。

挂片法评价阻垢性能的试验过程与腐蚀性能的评价方法基本相同，既可在室内进行静态试验，又可将试片安装在现场试验流程中进行动态试验，两者的主要区别在于试验后试片的处理方式上。

(二)试验程序

(1)试片的准备、试片的悬挂，所用室内静、动态试验装置等均与腐蚀性能的测定评价相同。

(2)试验介质为现场水或室内配制的模拟水，加入一定量的阻垢剂。

(3)将已达到试验周期的试片取出后，观察、描述腐蚀结垢情况，立即用清水冲洗掉试验介质，并用滤纸擦干。

(4)将试片放入沸程为 60~90 ℃的石油醚或丙酮的器皿中，用脱脂棉除去试片表面油污后，再放入无水乙醇中浸泡约 5 min，进一步脱脂和脱水。取出试片放在滤纸上，用冷风吹干，然后用滤纸将试片包好，贮于干燥器中，放置 1 h 后称量，精确至 0.1 mg。不加阻垢剂的试验介质中的试片此值记为 m_1^*，加阻垢剂的试验介质中的试片此值记为 m_1。

(5)将试片放入一定体积的酸清洗液中浸泡 5 min，酸清洗液的体积记为 V_a。同时用镊子夹少量脱脂棉轻拭表面的腐蚀、结垢物。从清洗液中取出试片，用自来水冲去表面残酸后，立即将试片浸入氢氧化钠溶液(60 g/L)中，30 s 后再用自来水冲洗，然后放入无水乙醇中浸泡约 5 min，清洗脱水两次。取出试片放在滤纸上，用冷风吹干，然后用滤纸将试片包好，贮于干燥器中，放置 1 h 后称量，精确至 0.1 mg。不加阻垢剂的试验介质中的试片此值记为 m_2^*，加阻垢剂的试验介质中的试片此值记为 m_2。

(6)测定酸清洗液中 Ca^{2+}、Mg^{2+} 含量，并折算成 $CaCO_3$ 垢质量，记为 m_3。

(三)试验结果的表示和计算

(1)污垢沉积率按下式计算：

$$mcm = \frac{30(m_1 - m_2)}{AT} \quad 或 \quad mcm^* = \frac{30(m_1^* - m_2^*)}{AT} \tag{4-10}$$

式中　mcm——污垢沉积速率(加阻垢剂)，mg/(cm^2·月)；

　　　mcm^*——污垢沉积速率(不加阻垢剂)，mg/(cm^2·月)；

　　　m_1——试片试验后的质量(加阻垢剂)，mg；

　　　m_1^*——试片试验后的质量(不加阻垢剂)，mg；

　　　m_2——试片去除污垢后的质量(加阻垢剂)，mg；

　　　m_2^*——试片去除污垢后的质量(不加阻垢剂)，mg；

　　　A——试片的表面积，cm^2；

　　　T——试验时间，d。

(2)阻垢率按下式计算：

$$r_{scal} = \frac{mcm^* - mcm}{mcm^*} \times 100\% \tag{4-11}$$

式中字母含义同式(4-10)。

(3)平均结垢厚度按下式计算：

$$\delta = \frac{87\ 600m_3}{AT\rho} \qquad (4\text{-}12)$$

式中　δ——结垢厚度，mm/a；

　　　m_3——试片上 $CaCO_3$ 质量，g；

　　　A——结垢试片有效结垢面积，cm^2；

　　　T——试验时间，h；

　　　ρ——$CaCO_3$ 密度，g/cm^3。

三、阻垢性能评价方法三(模拟管法)

(一)基本原理

将一定体积的试验介质(加有防垢剂和未加防垢剂的水样)，流过恒温在一定温度下的不锈钢盘管，根据不锈钢盘管试验后的增量和流过的试验介质体积，即可计算出结垢量。

对于像油田污水回注这类单向流的水处理系统，该方法具有较好的模拟试验效果。其试验原理见图 4-2。

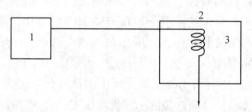

图 4-2　模拟管法阻垢性能评价原理
1—盛有试验介质的容器；2—恒温箱；3—不锈钢盘管

(二)试验程序

(1)将试验介质装入容器 1 中。试验介质为加有一定量阻垢剂和未加阻垢剂的现场水或室内配制的模拟水。

(2)将已称至恒量的不锈钢试验盘管连接到图 4-2 所示的流程上，根据现场实际水温或其他要求，将恒温箱设定到试验温度。

(3)用泵使试验介质以一定的线流速度(根据现场流程水的线流速度确定)流过试验盘管，并计量流过试验盘管的体积。流过试验盘管的体积，取决于试验介质结垢量的大小。结垢量大时，可适当减少流过试验盘管的体积；结垢量小时，就要适当增加流过试验盘管的体积，因为只有试验盘管上的结垢量达到一定量时，才能保证试验结果的准确性。

(4)当一定体积的试验介质流过试验盘管后，更换为蒸馏水继续驱替，并随时监测流出液中的 Cl^-，直至从盘管中流出的液体中无 Cl^- 为止。此目的是将试验盘管中的试验介质和可溶性盐类洗去，对于试验介质为高矿化度的油田水来讲，此步骤很有必要。

(5)将试验盘管卸下，放入 105 ℃烘箱中烘干，直至恒量。

(三)试验结果处理

(1)结垢量的计算。

结垢量按式(4-13)计算：

$$y_{scal} = \frac{(m_5 - m_4) \times 10^3}{V_s}$$ (4-13)

式中 y_{scal}——结垢量，mg/L；

m_4——试验前盘管的质量，g；

m_5——试验后盘管的质量，g；

V_s——流过试验盘管的水的体积，L。

(2)阻垢率的计算。

阻垢率按式(4-14)计算：

$$r_{scal} = \frac{y_{sca1}^* - y_{sca1}}{y_{scal}^*} \times 100\%$$ (4-14)

式中 r_{scal}——阻垢率(%)；

y_{scal}^*——结垢量(不加阻垢剂时)，mg/L；

y_{scal}——结垢量(加阻垢剂时)，mg/L。

第五节　破乳剂

一、原油破乳剂使用性能的评价

(一)方法提要

将一定量的破乳剂加入原油乳状液中，经充分混合，恒温沉降脱水，记录不同时间脱出水量及净化油含水量，观察脱出污水颜色和油水界面状况，依次对破乳剂的使用性能作出评价。

(二)样品准备

(1)破乳剂样品采样用管式取样器，取样时将管式取样器底盖打开后，慢慢插入破乳剂液体中，待管式取样器接触桶底时，立即关闭底盖抽提至桶外，并迅速将管内液体置入取样瓶中待观察和分析。

(2)原油样品应在该破乳剂的使用地点采取有代表性样品，避免在样品源的死角部位取样。样品的含水量宜高于20%，使用期限应为三天。

(3)含油污水样品应在脱水试瓶中用注射器直接抽取，抽样时，将装有塑料吸管的注射器吸入少量空气后，插入含油污水层上部缓慢排除空气，待液面稳定再插入至瓶底部抽取水样，至瓶中只剩少量水时(防止吸入原油)拔下塑料吸管，再将含油污水注入预先准备好的试瓶中。

(4)净化油取样应在脱水试瓶中油的中间部位抽取（见图4-3）。

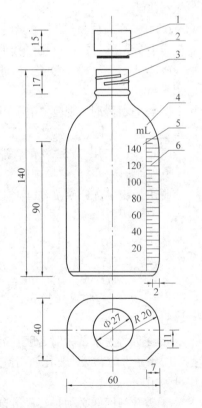

图 4-3　脱水试瓶示例 （单位:mm）

1—瓶盖；2—塑料垫片；3—螺纹；
4—模铸符号；5—模铸数字；6—模铸刻度

(三)分析步骤

1. 溶液配制

用注射器准确抽取一定量的破乳剂液体注入容量瓶或烧杯中，用溶剂稀释成体积分数为 10%或 1%的破乳剂溶液。水溶性的破乳剂用蒸馏水或醇类配制，油溶性破乳剂用二甲苯配制。配制中所有破乳剂的工业品(干剂除外)均按纯剂计。

2. 油样处理

(1)观察取得的原油样品中是否有游离水，若有游离水排除后搅匀待用。

(2)测定原油样品的含水量(方法见 GB8929)。

(3)将准备好的原油样品倒入脱水试瓶(或比色管)中至 100 mL 刻度后盖上瓶盖待用。常温下凝固的油样，应在比预定脱水温度低 5 ~ 10 ℃条件下用水浴融化。

3. 试验过程

(1)将盛有油样的试瓶(或比色管)放入恒温水浴中，恒温时间不少于 15 min。

(2)用取液器或注射器向预定的脱水试瓶中注入一定量的破乳剂溶液(同时用破乳剂标样做对比试验)。

(3)旋紧瓶盖后将试瓶迅速放置在振荡机上，振荡 0.5 ~ 5 min，使药剂与油样充分混合。没有振荡机时，也可用手摇混匀，方法是手摇 200 次(左右手各摇 100 次)。

(4)取下试瓶，松动瓶盖，并重新将试瓶置于恒温水浴内静置沉降，记录不同时间的脱出水量。

(5)终止沉降时，观察、记录污水颜色和油水界面状况。污水颜色分为透明、乳白色、浅黄色、黄色、棕色、褐色。

(6)必要时采用 SY5329 测含油污水含油量和采用 GB260 测净化油的含水量。

4. 结果计算

脱水量相对百分率按式(4-15)计算：

$$\eta_w = \frac{V_2}{V_1} \times 100\% \qquad (4-15)$$

式中　　η_w——脱水量相对百分率(%)；

　　　V_2——试样脱水量，mL；

　　　V_1——标样脱水量，mL。

5. 注意事项

(1)在进行脱水试验时，破乳剂用量及脱水温度的选择应以现场使用条件为准，在未指明脱水条件时，应对破乳剂用量及脱水温度进行筛选(石油行业标准推荐使用破乳剂的用量为 100 mg/L)。

(2)破乳剂标样必须是经破乳剂供、需双方现场试验确认后的工业品，标样保存在密封瓶中，有效期不得超过三年。

二、水包油乳状液破乳剂使用性能的评价

(一)方法提要

将一定量的水包油乳状液破乳剂加入到水包油乳状液中，经充分混合，破乳分离。

根据水相、油相和界面状况以及水中含油量评定水包油乳状液破乳剂的使用性能。

(二)试液与样品

1. 试液

(1)现场试液。在使用水包油乳状液破乳剂现场的适当部位取试液。稳定的试液可使用数日，最多一个月；不稳定试液，应在现场直接取入试瓶，当场试验。

(2)人工配制试液。

① 将油酸钠用蒸馏水配成质量分数为1%的溶液。

② 依次将500 mL蒸馏水、20 μL油酸和5 mL质量分数为1%的油酸钠溶液加入混调器的圆筒内，用低转速搅匀物料。

③ 称取5.0 g原油，加入盛有物料的圆筒内，加盖后，移入50 ℃的恒温浴中，预热30 min。

④ 将圆筒移出恒温浴，擦去外面的水，放到混调器底座上，装好，盖紧，以4 000 r/min搅拌5 min。

⑤ 将圆筒中的物料转入烧杯内，置于恒温浴中静置30 min，除去上面的浮油，余液即为水包油乳状液。

注意：人工配制的试液，当日使用；试液在使用时，应先除去浮油，再分装试瓶。

2. 样品

(1)样品的采集与原油破乳剂的规定相同，密封存放。

(2)样品用蒸馏水配成体积分数为0.2%、1%的溶液，备用。

(三)试验程序

1. 试验准备

(1)应使用清洁的试瓶。用过的试瓶可依次用无铅汽油、二甲苯、乙醇和水清洗。

(2)室温下用某一样品和指定的试液做预备试验，以明显见到破乳效果的破乳剂用量，作为用该试液进行评定试验的起始加药浓度。

2. 试液预热

将试液分别装入各试瓶100 mL，加盖、编号，放入50~60 ℃的恒温浴中，预热30 min。同时取5 mL试液于比色管中，以备测定含油量。

3. 加药振荡

按预定量将样品溶液分别加入装有试液的试瓶中，旋紧瓶盖，在振荡器上，以200次/min振荡3 min，或手摇200次。

4. 静置观察

将试瓶放回恒温浴中，静置30 min(可根据需要适当选择)，观察并记录水相、油相和界面状况。

5. 取水样

在注射器上装一根长约140 mm的硬塑料管，吸入少量空气，插入试瓶，管端距瓶底约10 mm，缓慢排出空气。待瓶内液体稳定后，慢慢吸取约50 mL水样(含油高，可减量)。拔下塑料管，将水样注入量筒。待注射器冷至室温，吸入少量无铅汽油冲洗，并将冲洗液并入水样。

6. 测定含油量

测定水样和试液中的含油量。测定方法见本书第六章。

(四)试验结果

1. 脱油率

脱油率按式(4-16)计算：

$$\eta_{\text{oil}} = \frac{x_0 - x}{x_0} \times 100\%$$ (4-16)

式中　η_{oil}——破乳剂的脱油率（%）；

　　　x_0——试液含油量，mg/L；

　　　x——试液经破乳剂处理后的水相含油量，mg/L。

2. 水相、油相及界面状况

(1)水相清洁度分为四级：

① 效果好，水干净(清、乳白)，含油 100 mg/L 以下，以"1"表示；

② 效果较好，水较干净(较清、浅黄)，含油 500 mg/L 以下，以"2"表示；

③ 效果差，水不干净(黄、棕)，含油 500 mg/L 以上，以"3"表示；

④ 无效果，以"4"表示。

(2)油相状况用下列词语记录：

① 油亮；

② 浑浊；

③ 粘壁。

(3)界面状况用下列词语记录：

① 清晰；

② 模糊(有泡或花边)；

③ 有乳化层。

第六节　除氧剂

一、准备工作

(一)试验用水样

试验用水样为油田现场水或实验室模拟水样。

1. 现场水样的采集

(1)所选用的现场水样应具有代表性。

(2)取样前，准备好接头和胶皮管线，同时准备一干净的取样桶，如图 4-4 所示。

(3)取样时，先将取样桶阀打开，以 5 ~ 6 L/min 的流速畅流 3 min 后开始取样，将胶皮管插入取样桶底部，

进(出)水口

出(进)气口

图 4-4　取样桶

溢流 3~5 min 后迅速塞紧橡胶塞。

(4)水样运回实验室后，向其中通入氮气，使取样桶内氮气压力为 0.5~1.0 MPa。

2. 模拟水样的配制

按油田注水所含离子和总矿化度制备，剧烈搅拌 0.5~1.0 h，静置 24 h 备用。

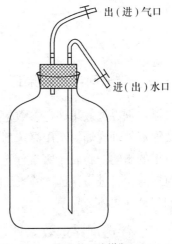

图 4-5　试样瓶

(二)除氧剂溶液

以减量法快速准确地称取拟评价的除氧剂 2.50 g(有效成分含量)，精确至 0.01 g，放入烧杯中，用经过氮气气提除氧的蒸馏水溶解，稀释至 250 mL。

二、除氧剂性能评价

(一)脱氧率

所有样品的转移、操作应在氮气保护下进行。

(1)将确定体积的水样转入试样瓶(2 500~5 000 mL 细口瓶，如图 4-5 所示)，置于恒温水浴中，温度控制与取样温度(或室温)一致，恒温 15 min。

(2)自试样瓶移取 100~300 mL 水样于测试瓶中，测定水样中溶解氧浓度。

(3)根据水样中溶解氧含量，计算除氧剂的理论用量。

(4)按理论用量加入过量 20%的除氧剂溶液于试样瓶中，充分混合。

(5)每隔 5~10 min，测定一次水样中剩余溶解氧浓度。

(6)按式(4-17)计算脱氧率：

$$\eta_o = \frac{c_0 - c}{c_0} \times 100\% \tag{4-17}$$

式中　η_o——脱氧率(%)；

　　　c_0——未加除氧剂时水样中溶解氧浓度，mg/L；

　　　c——加除氧剂后水样中剩余溶解氧浓度，mg/L。

(二)除氧剂水溶液浓度稳定性

(1)配制质量分数为 10%除氧剂溶液于烧杯中。

(2)参照除氧剂产品标准中有效成分含量的测定方法，取样分析放置不同时间后上述除氧剂溶液的有效浓度，时间间隔可设置为 0、1、2、3、4、6、8、12、24 h。

(3)按式(4-18)计算有效浓度存留率：

$$z = \frac{c'}{c_0'} \times 100\% \tag{4-18}$$

式中　z——除氧剂水溶液有效浓度存留率(%)；

　　　c'——除氧剂水溶液放置一定时间后的有效浓度，mg/L；

　　　c_0'——除氧剂水溶液的初始有效浓度，mg/L。

第七节　浮选剂

一、浮选剂浮选效果评定原理

浮选剂浮选效果评定参数是根据实际使用要求确定的，在实验室内采用转子吸气浮选法评定处理含油污水用浮选剂浮选效果。该法也适用于评定其他水处理剂对浮选剂浮选效果的影响。将转子吸气浮选机的转子放入污水样中(空白样和加入浮选剂的水样)，经搅拌混合，进气浮选，静置后取中层水样进行含油和悬浮固体分析，以确定浮选剂的除油和悬浮固体去除率。

二、浮选剂浮选效果评定方法

(一)浮选剂溶液的配制

浮选剂或其他水处理剂应在试验前 24 h 预先配制成适当浓度的溶液。

(二)水样

取待浮选的含油污水作为试验用水样。水样应现场采取，恒温存放，并在 24 h 内使用。

(三)试验步骤

1. 试验准备

(1)检测水样的含油量、悬浮固体含量、pH 值、温度。分析方法见本书第六章。

(2)将浮选机转子的转速调到 700 ~ 950 r/min，关闭浮选机。

2. 浮选效果试验

(1)将浮选机转子升高，把装满污水的浮选槽放在浮选机的底座上，将接渣盘放在槽口下面，将转子降至水样(空白样或按设计浓度用加药器吸取一定剂量的药剂溶液注入水样液面以下的加药样)中。

(2)关闭进气阀，启动浮选机搅拌 10 s 后停机。

(3)启动浮选机运行 30 s 后，打开进气阀进行浮选。

(4)进气 30 s 后用毛刷连续将浮渣撇入接渣盘。

(5)连续浮选 2 ~ 4 min 停机(同一批试验，浮选时间必须相同)，将转子升高。

(6)静止 30 s 让产生的气泡上浮至表面，撇去浮渣。

(7)从浮选槽中层处取足够体积的水样，分析含油量和悬浮固体含量。

(8)排空剩余水样，将槽子表面及转子部分清理干净。

(四)浮选效果计算

1. 除油率

除油率按式(4-19)计算：

$$x_{oil} = \frac{x_0 - x_0'}{x_0} \times 100\% \qquad (4-19)$$

式中　x_{oil}——浮选剂的除油率(%)；

　　　x_0——空白浮选后水样中的含油量，mg/L；

　　　x_0'——加药浮选后水样中的含油量，mg/L。

2. 悬浮固体去除率

悬浮固体去除率按式(4-20)计算：

$$R_{ss} = \frac{x_{ss} - x_{ss}'}{x_{ss}} \times 100\% \tag{4-20}$$

式中　R_{ss}——悬浮固体去除率(%)；

　　　x_{ss}——空白浮选后水样中悬浮固体含量，mg/L；

　　　x_{ss}'——加药浮选后水样中悬浮固体含量，mg/L。

表 4-4 为浮选剂浮选效果评定报告格式。

表 4-4　浮选剂浮选效果评定报告格式

取样地点：_____　　　取样时间：_____　　　试验日期：_____

水样 pH 值：_____　　　水温：_____℃　　　含油量：_____mg/L

悬浮固体含量：_____mg/L

序号	药剂	加药量 (mg/L)	转速 (r/min)	浮选时间 (min)	含油量 (mg/L)	除油率 (%)	悬浮固体含量 (mg/L)	悬浮固体去除率 (%)	备注
1									
2									
3									
4									
5									
6									
7									
8									
9									
10									

第五章 油气田水分析技术

第一节 取 样

取样的代表性如何，直接关系到样品分析结果的真实性和可靠性，采用正确的取样方法，保证取样的代表性，是做好分析工作的第一步。

(1)从管道或水处理装置中采集水样时，取样部位应安装取样阀门。采样时，打开取样阀门，进行适当的冲洗(一般以5~6 L/min的流速畅流2~5 min，保证取样口死水及油污、沉积物、铁锈等脏物排净)，并将水样流速调至约700 mL/min进行取样。

(2)在试油过程进行地层水取样时，取样前应先将井中的地表水、泥浆水排完。试油过程应每8 h测一次氯离子含量，连续三次氯离子含量不变时才能取样。

(3)将洗净的玻璃瓶或塑料瓶用水样洗涤三次，然后盛满水样并密封，做好标记。

第二节 物理性质的测定

一、颜色

目测水样颜色，其可分为：无色、浅黄色、黄色、绿色、棕色和黑色等。

二、气味

启开瓶塞嗅气味,其可分为：无气味、硫化氢味、泥土味、沼气味、芳香味和刺激味等。

三、透明度

目测水样透明度，其可分为：透明、半透明和不透明等。

四、沉淀物

观察水样中沉淀物的数量及形状，数量可分为：无、少量和大量；形状可分为：片状、粒状和絮状等。

五、酸度(pH计电测法)

(一)仪器校准

用pH值为4.0、7.0、10.0三种标准缓冲溶液校准pH计：先将pH计调到pH值为7.0处，视pH计在各缓冲溶液中的读数，误差不得大于0.02 pH单位；否则应重新校准pH计，或按相应的pH计使用说明书的要求进行。

(二)测定

将校准后的 pH 计的电极浸入盛有 50 mL 水样的烧杯中，待仪器稳定后读数。

六、密度

(一)韦氏天平法

1. 天平校准

将测锤浸入去离子水中，不得接触容器的底和壁。挂最大砝码于钩上，调节平衡锤，使横梁上指针与托架指针成水平，记下去离子水温度。

2. 测定

将测锤浸没水样中(浑浊水样需经过滤)，不得接触容器的底和壁。由大而小添加砝码到 V 形槽中，至梁的指针尖与托架尖成水平，记下水样温度 t(℃)及砝码质量。砝码质量数值即为该水样的实测密度(D_t^t)的数值。

3. 水样密度不大于 1.010 0 g/cm³ 时的计算公式

温度在 5～35 ℃时的精确计算见式(5-1)：

$$D_4^{20} = D_t^t \cdot D_4^t - r(20-t) \tag{5-1}$$

温度在 15～25 ℃时的近似计算见式(5-2)：

$$D_4^{20} = 0.998\ 23 \times D_t^t \tag{5-2}$$

式中　D_4^{20}——水样的标准密度，g/cm³；

　　　D_t^t——水样在 t 度时的实测密度，g/cm³；

　　　D_4^t——纯水在 t 度时的密度，g/cm³；

　　　t——水样温度，℃；

　　　r——温度系数，见表5-1；

　　　0.998 23——纯水在 20 ℃时的密度，g/cm³。

表 5-1　温度系数

温度范围 (℃)	温度系数 r ($\times 10^{-4}$)	温度范围 (℃)	温度系数 r ($\times 10^{-4}$)
5.0～10.0	1.10	>20.0～25.0	2.30
>10.0～15.0	1.50	>25.0～30.0	2.50
>15.0～20.0	1.80	>30.0～35.0	2.75

4. 水样密度大于 1.010 0 g/cm³ 时的计算公式

计算公式见式(5-3)：

$$D_4^{20} = D_t^t - r(20-t) \tag{5-3}$$

式中　D_4^{20}——水样的标准密度，g/cm³；

　　　D_t^t——水样在 t 度时的实测密度，g/cm³；

　　　r——温度系数，见附录B；

　　　t——水样温度，℃。

(二)电磁振荡密度仪法

1. 仪器校准

根据仪器的操作说明,用纯水对仪器进行校准,重复性偏差不得超过 0.000 01 g/cm³。

2. 测定

仪器校准后将试样注入仪器,稳定后对试样进行读数测定。

第三节　氯离子含量的测定

一、硝酸银沉淀滴定法

该法适用于油气田水中氯离子含量在 100 mg/L 以上,溴、碘离子合量为氯离子含量的 1%以下时氯离子含量的测定。

(一)方法提要

在 pH 值为 6.0～8.5 的介质中,硝酸银离子与氯离子反应生成白色沉淀。过量的银离子与铬酸钾指示剂生成砖红色铬酸银沉淀,根据硝酸银离子的消耗量计算氯离子含量。其反应方程式如下:

$$Ag^+ + Cl^- \longrightarrow AgCl\downarrow（白色）$$
$$2Ag^+ + CrO_4^{2-} \longrightarrow Ag_2CrO_4\downarrow（砖红色）$$

(二)试样制备

无色、透明、含盐度高的油气田水样,经适当稀释(稀释后的试样,氯离子的含量应控制在 500～3 000 mg/L)即可测定。如水样中含有硫化氢,则在水样中加数滴硝酸溶液(φ_{HNO_3}=50%)煮沸除去硫化氢,如水样浑浊,则用滤纸过滤,去掉悬浮固体杂质,记作滤液 A,保留滤液 A 用于氯离子的测定。

(三)测定

用大肚移液管取定体积油气田水样或经处理后的试样或滤液 A(试料中氯离子含量应为 10～40 mg)于三角瓶中,加水至总体积为 50～60 mL,用硝酸溶液(φ_{HNO_3}=50%)或碳酸钠溶液($\omega_{Na_2CO_3}$=0.05%),调节试样 pH 值至 6.0～8.5,加 1 mL 铬酸钾指示剂。用硝酸银标准溶液滴至生成淡砖红色悬浮物为终点。用同样的方法做空白试验。

(四)计算

氯离子含量的计算见式(5-4)、式(5-5):

$$c_{Cl^-}(\text{mmol/L}) = \frac{c_{硝}(V_{1硝} - V_{0硝})}{V} \times 10^3 \tag{5-4}$$

$$\rho_{Cl^-}(\text{mg/L}) = \frac{c_{硝}(V_{1硝} - V_{0硝}) \times 35.45}{V} \times 10^3 \tag{5-5}$$

式中　$c_{硝}$——硝酸银标准溶液的浓度,mol/L;

　　　$V_{1硝}$——硝酸银标准溶液的消耗量,mL;

　　　$V_{0硝}$——空白试验时,硝酸银标准溶液的消耗量,mL;

V ——试料的体积(原水水样)，mL；

35.45 ——与 1.00 mL 硝酸银标准溶液($c_{硝}$ =1.000 mol／L)完全反应所需要的氯离子的质量，mg。

二、离子色谱法

该法适用于油气田水中氟、氯、溴、硫酸根离子的测定，它们的最低检测质量浓度均为 0.05 mg/L。

(一)方法提要

试样注入后，在淋洗液的挟带下流经阴离子分离柱。由于四种离子的离子半径、电荷的多少和其他性质的不同，它们对固定相的亲和力各异，因此在淋洗液和固定相之间的分配系数也不同。在柱中经反复洗脱与交换后，按氟、氯、溴、硫酸根离子的顺序依次被分离开来，经电导检测器测量，由计算机计算并打印出被测离子的含量。

(二)试样制备

水样用滤纸过滤除去悬浮固体杂质，取其滤液，经适当稀释即可。

(三)色谱条件

(1)淋洗液：Na_2CO_3·$NaHCO_3$ 二元淋洗液浓度分别为 2.0 mmol/L 和 3.0 mmol/L。

(2)淋洗液流速：选用试样中被测离子峰达到完全分离的流速。

(3)色谱柱：与仪器配套的阴离子分离柱。

(四)分析程序

(1)标准溶液的制备。在各离子的线性范围内，制备与试样中氟、氯、溴和硫酸根离子含量近似的混合标准液。

(2)测定。按色谱条件将仪器准备好，待基线稳定后，输入样品名称及稀释倍数，注入试样，屏幕上出现色谱图，计算机测定各离子峰的电信号强度(mV·s)；在同样的色谱条件下，输入标准溶液中各离子名称及含量，注入标准溶液，计算机将测得各离子电信号强度(mV·s)与试样中相应离子电信号强度比较，计算并打印出样品中各离子含量。

第四节 碳酸根、碳酸氢根、氢氧根离子含量的测定

该法适用于一般油气田水中碳酸根、碳酸氢根、氢氧根离子含量的测定。

一、方法提要

用盐酸标准溶液滴定水样，依次用酚酞和甲基橙溶液为指示剂，用两次滴定所消耗盐酸标准溶液的体积，计算碳酸根、碳酸氢根和氢氧根离子的含量，反应方程式如下：

$$OH^- + H^+ \xrightarrow{\text{酚酞指示剂}} H_2O$$

$$CO_3^{2-} + H^+ \xrightarrow{\text{酚酞指示剂}} HCO_3^-$$

$$HCO_3^- + H^+ \xrightarrow{\text{甲基橙指示剂}} CO_2\uparrow + H_2O$$

二、分析程序

用大肚移液管取 50 ~ 100 mL 刚开瓶塞的水样于三角瓶中，加 2 ~ 3 滴酚酞指示剂。若水样出现红色，则用盐酸标准溶液滴至红色刚消失，所消耗的盐酸标准溶液的体积(mL)记作 $V_{1盐}$。再加 3 ~ 4 滴甲基橙指示剂，水样呈黄色，则继续用盐酸标准溶液滴至溶液由黄色突变为橙红色，所消耗的盐酸标准溶液的体积(mL)记作 $V_{2盐}$。若加酚酞指示剂后水样呈无色，则继续加甲基橙指示剂至水样呈黄色，用盐酸标准溶液滴定至橙红色为终点。

三、计算

碳酸根、碳酸氢根和氢氧根离子的含量关系见表 5-2。

表 5-2　碳酸根、碳酸氢根和氢氧根离子的含量关系

盐酸耗量	碳酸氢根	碳酸根	氢氧根
$V_{1盐}=0$	$V_{2盐}$	0	0
$V_{1盐}<V_{2盐}$	$V_{2盐}-V_{1盐}$	$V_{1盐}$	0
$V_{1盐}=V_{2盐}$	0	$V_{1盐}$	0
$V_{1盐}>V_{2盐}$	0	$V_{2盐}$	$V_{1盐}-V_{2盐}$
$V_{2盐}=0$	0	0	$V_{1盐}$

当 $V_{1盐}=0$ 时，表明仅有碳酸氢根离子，其含量计算见式(5-6)、式(5-7)：

$$c_{HCO_3^-}(mmol/L) = \frac{c_{盐}V_{2盐}}{V} \times 10^3 \tag{5-6}$$

$$\rho_{HCO_3^-}(mg/L) = \frac{c_{盐}V_{2盐} \times 61.02}{V} \times 10^3 \tag{5-7}$$

当 $V_{1盐}<V_{2盐}$ 时，表明有碳酸氢根和碳酸根离子，无氢氧根离子。碳酸根和碳酸氢根离子含量的计算见式(5-8) ~ 式(5-11)：

$$c_{HCO_3^-}(mmol/L) = \frac{c_{盐}(V_{2盐}-V_{1盐})}{V} \times 10^3 \tag{5-8}$$

$$\rho_{HCO_3^-}(mg/L) = \frac{c_{盐}(V_{2盐}-V_{1盐}) \times 61.02}{V} \times 10^3 \tag{5-9}$$

$$c_{CO_3^{2-}}(mmol/L) = \frac{c_{盐}V_{1盐}}{V} \times 10^3 \tag{5-10}$$

$$\rho_{CO_3^{2-}}(mg/L) = \frac{c_{盐}V_{1盐} \times 60.01}{V} \times 10^3 \tag{5-11}$$

当 $V_{1盐}=V_{2盐}$ 时，表明仅有碳酸根离子，用式(5-10)、式(5-11)计算其含量。

当 $V_{1盐}>V_{2盐}$ 时，表明有碳酸根和氢氧根离子，无碳酸氢根离子，其含量计算见式(5-12) ~ 式(5-15)：

$$c_{CO_3^{2-}}(mmol/L) = \frac{c_{盐}V_{2盐}}{V} \times 10^3 \tag{5-12}$$

$$\rho_{CO_3^{2-}}(mg/L) = \frac{c_{盐}V_{2盐} \times 60.01}{V} \times 10^3 \tag{5-13}$$

$$c_{OH^-}(mmol/L) = \frac{c_{盐}(V_{1盐} - V_{2盐})}{V} \times 10^3 \tag{5-14}$$

$$\rho_{OH^-}(mg/L) = \frac{c_{盐}(V_{1盐} - V_{2盐}) \times 17.01}{V} \times 10^3 \tag{5-15}$$

当 $V_{2盐} = 0$，表明仅有氢氧根离子，其含量计算见式(5-16)、式(5-17)：

$$c_{OH^-}(mmol/L) = \frac{c_{盐}V_{1盐}}{V} \times 10^3 \tag{5-16}$$

$$\rho_{OH^-}(mg/L) = \frac{c_{盐}V_{1盐} \times 17.01}{V} \times 10^3 \tag{5-17}$$

式中 $c_{盐}$——盐酸标准溶液的浓度，mol/L；

$V_{1盐}$——加酚酞指试剂时，盐酸标准溶液的消耗量，mL；

$V_{2盐}$——加甲基橙指示剂时，盐酸标准溶液的消耗量，mL；

V——试料的体积(原水水样)，mL；

61.02、60.01、17.01——与 1.00 mL 盐酸标准溶液($c_{盐}$ =1.000 mol/L)完全反应所需要的碳酸氢根、碳酸根和氢氧根离子的质量，mg。

第五节 硫酸根离子含量的测定

一、重量法

该法适用于油气田水中硫酸根离子含量为 40 ~ 5 000 mg/L 的测定。

(一)方法提要

在酸性溶液中，硫酸根离子与钡离子反应生成硫酸钡沉淀。经过滤、洗涤、碳化、灼烧至恒量，按公式计算硫酸根离子含量。当试料中铁离子含量大于 1 mg 时，测定前需用氨水除去。其反应方程式如下：

$$SO_4^{2-} + Ba^{2+} \xrightarrow{H^+} BaSO_4 \downarrow$$

$$Fe^{3+} + 3OH^- \longrightarrow Fe(OH)_3 \downarrow$$

(二)试样制备

用大肚移液管取定体积水样(硫酸根离子含量应为 5 ~ 150 mg)于烧杯中，加 2 ~ 3 滴甲基红指示剂，加盐酸溶液(φ_{HCl} =50%)酸化样品；置烧杯于电炉上煮沸 5 min，搅拌下滴加氨水($\varphi_{NH_3H_2O}$ =50%)使溶液呈碱性。铁离子以氢氧化物形式沉淀，待沉淀完全后，趁热过滤；将杯中沉淀全部移至滤纸上，用热水洗涤至滤液无氯离子；滤液和洗涤液一并收集在另一烧杯中，用水冲稀至 120 ~ 150 mL，记作滤液 B。保留滤液 B 用于硫酸根离子含量的测定。

(三)测定

向滤液 B 滴加盐酸溶液(φ_{HCl} =50%)使呈酸性,置烧杯于电炉上,煮沸;搅拌下滴加 10 mL 氯化钡溶液(ω_{BaCl_2}=10%),煮沸 3 ~ 5 min,在约 60 ℃处静置 4 h。在定量滤纸上过滤,将烧杯中沉淀全部移至滤纸上,用热水洗涤沉淀至滤液无氯离子;将滤纸和沉淀放入已恒量的坩埚中,先在电炉上碳化至滤纸变白;最后将坩埚放入高温炉中,升温至 800 ℃,恒温 30 min;停止加热,待炉温降到 400 ℃时取出坩埚,并在干燥器中冷却至室温,称量、再灼烧至恒量,两次称量相差不超过 0.000 4 g。

(四)计算

硫酸根离子含量的计算见式(5-18)、式(5-19):

$$\rho_{SO_4^{2-}} \text{(mg/L)} = \frac{(m_2 - m_1) \times 411.57}{V} \times 10^3 \tag{5-18}$$

$$c_{SO_4^{2-}} \text{(mmol/L)} = \rho_{SO_4^{2-}} \times 0.010\ 41 \tag{5-19}$$

式中 m_1——坩埚质量,g;

m_2——坩埚加沉淀质量,g;

V——试料的体积(原水水样),mL;

411.57——生成 1.000 0 g 硫酸钡所需要的硫酸根离子的质量,mg;

0.010 41——生成 1.0 mg 硫酸钡所需要的硫酸根离子的质量,mmol。

二、EDTA——钡容量法

该法适用于硫酸根离子含量大于 10 mg/L 油气田水的测定。

(一)方法提要

在 pH 值为 3 ~ 5 的溶液中,加入过量的氯化钡,使硫酸根与钡离子生成硫酸钡沉淀,剩余的钡离子在 pH 值为 10 的条件下用 EDTA 标准溶液滴定,此时过量的钡离子及原水样中的钙、镁离子同时被 EDTA 标准溶液滴定。

(二)分析程序

(1)用大肚移液管取定体积水样(硫酸根离子含量应为 0.5 ~ 7.5 mg)于三角瓶中,加水使总体积为 50 mL。加 1 滴甲基红指示剂,滴加盐酸溶液(φ_{HCl}=50%)至溶液呈红色,再加 1 ~ 2 滴。将试样煮沸,趁热加入 10.00 mL 钡、镁离子混合标准溶液,边加边摇动三角瓶。将试液再次煮沸。并在近沸的温度下保持 1 h,取下静置、冷却。加 10 mL 氨水—氯化铵缓冲溶液,加 3 ~ 4 滴铬黑 T 指示剂。用 EDTA 标准滴定溶液滴至纯蓝色为终点。EDTA 标准溶液消耗量(mL)记作 V_1。

(2)用大肚移液管取 50 mL 蒸馏水于三角瓶中,依次取 10.00 mL 钡、镁离子混合标准溶液,10 mL 氨水—氯化铵缓冲溶液和 3 ~ 4 滴铬黑 T 指示剂。用 EDTA 标准溶液滴至纯蓝色为终点。EDTA 标准溶液耗量(mL)记作 V_2。

(3)用大肚移液管取与(1)同体积水样于三角瓶中,加水使总体积为 50 mL,加 10 mL 氨水—氯化铵缓冲溶液,3 ~ 4 滴铬黑 T 指示剂,用 EDTA 标准滴定溶液滴至纯蓝色为终点。EDTA 标准滴定溶液耗量(mL)记作 V_3。

(三)计算

硫酸根离子含量的计算见式(5-20):

$$\rho_{SO_4^{2-}} (mg/L) = \frac{c_{标}[(V_2 + V_3) - V_1] \times 96.06}{V} \times 10^3 \qquad (5\text{-}20)$$

式中 $c_{标}$——EDTA 标准溶液的浓度，mol/L；

       V_1——测剩余钡及原水样中钙、镁离子合量时，EDTA 标准溶液的消耗量，mL；

       V_2——测钡、镁离子混合标准溶液时，EDTA 标准溶液的消耗量，mL；

       V_3——测原水样中钙、镁离子合量时，EDTA 标准溶液的消耗量，mL；

       V ——试料的体积，mL；

       96.06——与 1.00 mL EDTA 标准溶液($c_{EDTA} = 1.000$ mol/L)完全反应所需要的硫酸根离子的质量，mg。

三、离子色谱法

其测定见本章第三节。

第六节　钙、镁、钡离子含量的测定

一、络合滴定法

该法适用于油气田水中钙、镁、钡(钡、锶合量)离子含量的测定。

(一)方法提要

钙、镁、锶、钡离子在 pH 值为 10 的缓冲溶液中，以铬黑 T 为指示剂，用 EDTA 标准溶液滴定测得总量。在 pH 值为 3 ~ 4 的介质中，用硫酸钠作沉淀剂，除去水样中钡、锶离子。除去钡、锶离子的试样，分别在 pH 值为 10 的缓冲溶液中以铬黑 T 为指示剂，用 EDTA 标准溶液滴定，测得钙、镁离子合量；在 pH 值为 12 的介质中以钙试剂为指示剂，用 EDTA 标准溶液滴定，测得钙离子含量。铁离子有干扰，当试料中铁离子含量大于 1 mg 时，需除去铁离子。其反应式如下：

$$Y^{4-} + M^{2+} \xrightarrow{\text{pH值为10}} MY^{2-}$$

$$Y^{4-} + Ca^{2+} \xrightarrow{\text{pH值为12}} CaY^{2-}$$

$$Ba^{2+}(Sr^{2+}) + SO_4^{2-} \longrightarrow BaSO_4(SrSO_4)\downarrow$$

$$Mg^{2+} + 2OH^- \longrightarrow Mg(OH)_2\downarrow$$

$$Fe^{3+} + 3OH^- \xrightarrow{\text{pH值为9}} Fe(OH)_3\downarrow$$

(二)分析程序

1. 除铁离子

用大肚移液管取定体积水样(钙含量应在 100 mg)于烧杯中,加水使总体积为 80 mL,加 0.3 g 氯化铵,用盐酸溶液(φ_{HCl}=1%)调节溶液 pH 值至 3~4;在电炉上煮沸,搅拌下滴加 5~10 mL 浓氨水,煮沸 1 min;趁热过滤,用热水洗沉淀至无氯离子,滤液和洗涤液一并收集在另一烧杯中,置烧杯于电炉上,煮沸、逐尽氨;冷却至室温后,用盐酸溶液(φ_{HCl}=1%)调节滤液 pH 值至 3~4,移入 250 mL 容量瓶中,定容、摇匀;记作滤液 C,保留滤液 C 用于钙、镁、锶、钡离子总量的测定。

2. 钙、镁、锶、钡离子总量的测定

用大肚移液管取定体积滤液 C 于三角瓶中,加水使总体积为 80 mL,加 10 mL 氨水—氯化铵缓冲溶液,加 3~4 滴铬黑 T 指示剂。用 EDTA 标准溶液滴至纯蓝色为终点。EDTA 标准溶液消耗量(mL)记作 V_3。

3. 钙、镁离子合量的测定

用大肚移液管取定体积滤液 C(钙含量应在 40 mg 左右)于烧杯中,加水稀释至 120 mL,置烧杯于电炉上,加热至微沸;搅拌下滴加 10 mL 硫酸钠溶液($\omega_{Na_2SO_4}$=5%),煮沸 3~5 min,在 60 ℃下静置 4 h。将溶液和沉淀一并移入 250 mL 容量瓶中,定容、摇匀。放置数分钟后,在滤纸上干过滤;记作滤液 D,保留滤液 D 用于钙、镁离子的测定。

使用除去钡、锶离子得到的滤液 D 测钙、镁离子合量。用大肚移液管取定体积滤液 D(与测钙、镁、锶、钡四种离子总量的原水样体积相同)于三角瓶中,进行测定,EDTA 标准溶液耗量(mL)记作 V_4。

4. 钙离子的测定

使用除去钡、锶离子得到的滤液 D 测钙离子含量。用大肚移液管取与测钙、镁离子合量的体积相同的滤液 D 于三角瓶中,加水至总体积为 80 mL,加 10 mL 氢氧化钠溶液(ω_{NaOH}=4%),再加 3 mg 钙指示剂。用 EDTA 标准溶液滴至纯蓝色为终点,EDTA 标准溶液消耗量(mL)记作 V_5。

(三)计算

钙、镁、钡离子含量的计算见式(5-21)~式(5-26):

$$c_{Ca^{2+}} (mmol/L) = \frac{c_{标}V_3}{V} \times 10^3 \tag{5-21}$$

$$\rho_{Ca^{2+}} (mg/L) = \frac{c_{标}V_3 \times 40.08}{V} \times 10^3 \tag{5-22}$$

$$c_{Mg^{2+}} (mmol/L) = \frac{c_{标}(V_4 - V_5)}{V} \times 10^3 \tag{5-23}$$

$$\rho_{Mg^{2+}} (mg/L) = \frac{c_{标}(V_4 - V_5) \times 24.31}{V} \times 10^3 \tag{5-24}$$

$$c_{Ba^{2+}(Ba^{2+}+Sr^{2+})} (mmol/L) = \frac{c_{标}(V_3 - V_4)}{V} \times 10^3 \tag{5-25}$$

$$\rho_{Ba^{2+}(Ba^{2+}+Sr^{2+})}(mg/L) = \frac{c_{标}(V_3 - V_4) \times 137.34}{V} \times 10^3 \tag{5-26}$$

式中　$c_{标}$——EDTA 标准溶液的浓度，mol/L；

$\quad\quad V_3$——测钙、镁、锶、钡离子合量时，EDTA 标准溶液的消耗量，mL；

$\quad\quad V_4$——测钙、镁合量时，EDTA 标准溶液的消耗量，mL；

$\quad\quad V_5$——测钙离子时，EDTA 标准溶液的消耗量，mL；

$\quad\quad V$——试料的体积(原水样的体积)，mL；

$\quad\quad$40.08、24.31、137.34——与 1.00 mL EDTA 标准溶液($c_{标}$=1.000 mol/L)完全反应所

$\quad\quad\quad\quad\quad\quad$需要的钙、镁、钡离子的质量，mg。

二、离子色谱法

该法适用于油气田水中的碱金属和碱土金属离子即锂、钠、铵、钾、镁、钙、锶和钡离子测定。它们的最低检测质量浓度均为 0.05 mg/L。

(一)方法提要

见本章第三节。

(二)锂、钠、铵、钾、镁、钙、锶、钡离子含量的测定

1. 色谱条件

淋洗液：甲烷磺酸，$c_{CH_3SO_3H}$ 为 15～35 mmol/L；

流速：各离子达到完全分离；

色谱柱：与仪器配套的阳离子分离柱。

2. 分析程序

标准溶液的制备：在各离子的线性范围内，制备 1 个与试样中锂、钠、钾、镁、钙、锶、钡离子含量相近的混合标准溶液。

其测定见本章第三节。

第七节　钡离子的测定(铬酸盐容量法)

该法适用于油气田水中钡离子含量大于 100 mg/L 的测定。

一、方法提要

在 pH 值为 5.7～6.1 的介质中，钡离子与铬酸钾反应生成铬酸钡沉淀。共存的钙、镁、锶则仍以离子形态留在液相中，经过滤、洗涤、弃去滤液而得到铬酸钡的沉淀。沉淀物用盐酸重新溶解，生成的铬酸钡与固体碘化钾反应，释放出单质碘，用硫代硫酸钠标准溶液测定碘。计算钡离子含量(水样中铁、铝离子干扰测定，需预除去)。其反应式如下：

$$Ba^{2+} + CrO_4^{2-} \longrightarrow BaCrO_4 \downarrow$$

$$2BaCrO_4 + 6KI + 16HCl \longrightarrow 3I_2 + 6KCl + 2CrCl_3 + 2BaCl_2 + 8H_2O$$

$$I_2 + 2Na_2S_2O_3 \longrightarrow 2NaI + Na_2S_4O_6$$

二、分析程序

(一)除铁、铝离子

用大肚移液管取定体积经过滤后的水样于烧杯中,加 2~3 mL 浓硝酸,煮沸数分钟,冷却;用氢氧化钠溶液($\omega_{NaOH} = 20\%$)中和至溶液浑浊,再加硝酸溶液($\varphi_{HNO_3} = 50\%$)至沉淀恰溶;用水稀释至 100 mL,加 10~15 mL 乙酸钠溶液($\omega_{CH_3COONa} = 12\%$)煮沸使沉淀凝聚,冷却后移入 250 mL 容量瓶中,定容、摇匀,记作溶液 E,保留溶液 E 用于钡离子的测定。

(二)测定

用大肚移液管取定体积溶液 E 澄清液(钡离子含量应为 10~50 mg)于烧杯中,加水稀释至 150 mL,加 2 滴甲基红指示剂;用盐酸溶液($\varphi_{HCl} = 50\%$)和氨水调节溶液至黄色,加 10 mL 乙酸—乙酸铵缓冲溶液,煮沸;搅拌下滴加 20 mL 铬酸钾溶液($c_{K_2CrO_4} = 0.07$ mol/L),再煮沸,补加 20 mL 铬酸钾溶液;在电热板上静置 1.5 h,取下静置 12 h 后在定量滤纸上过滤,用乙酸铵溶液($\omega_{CH_3COONa} = 2\%$)洗涤烧杯和沉淀物各三次;洗尽,弃去滤液和洗涤液;将滤纸戳破,滴加盐酸溶液($\varphi_{HCl} = 50\%$)溶解沉淀于原烧杯中,再用热水洗滤纸至无氯离子;用水洗烧杯壁并稀释至 100 mL,再用氨水($\varphi_{NH_3 \cdot H_2O} = 50\%$)和盐酸溶液($\varphi_{HCl} = 50\%$)调至沉淀物完全溶解;加 20 mL 铬酸钾溶液,加热至沸,慢慢加入 10 mL 乙酸—乙酸铵缓冲溶液,于电热板上加热保持 1.5 h,取下,冷却,沉淀在滤纸上过滤;用乙酸铵溶液洗涤沉淀至滤液无氯离子,滴加盐酸溶液($\varphi_{HCl} = 50\%$)于滤纸上溶解沉淀,并收集在碘量瓶中,用热水洗涤滤纸至无氯离子;加 2 g 碘化钾,摇匀,置于暗处,半分钟后用硫代硫酸钠标准溶液滴至浅黄色;加 1 mL 淀粉指示剂,继续滴至蓝色消失,绿色出现为终点。同样方法做空白试验。

三、计算

钡离子含量的计算见式(5-27):

$$\rho_{Ba^{2+}}(\text{mg/L}) = \frac{c_{硫代}(V_6 - V_7) \times 45.77}{V} \times 10^3 \tag{5-27}$$

式中 $c_{硫代}$——硫代硫酸钠标准溶液的浓度,mol/L;

V_6——硫代硫酸钠标准溶液的消耗量,mL;

V_7——空白试验时,硫代硫酸钠标准溶液的消耗量,mL;

V——试料的体积(原水样体积),mL;

45.77——与 1.00 mL 硫代硫酸钠标准溶液($c_{Na_2S_2O_3} = 1.000$ mol/L)完全反应所需要的钡离子质量,mg。

第八节 碘、溴离子含量的测定

一、碘量法

该法适用于碘离子含量大于 5 mg/L、溴离子含量大于 20 mg/L 油气田水的测定。

(一)方法提要

在 pH 值为 3.0~4.0 时，碘化物被溴水氧化成碘酸盐。过量的溴用甲酸钠和苯酚分解。碘酸盐与加入的碘化钾反应，释放出碘，用硫代硫酸钠标准溶液滴定。

用差减法测定溴。在 pH 值为 5.5~7.0 的介质中，溴离子、碘离子均被次氯酸钠盐氧化成稳定的溴酸盐和碘酸盐。过量的次氯酸盐用甲酸钠分解、除去。溴酸盐和碘酸盐与加入的碘化钾反应，生成的碘用硫代硫酸钠标准溶液滴定(共存的硫化氢、铁离子、锰离子和有机物等，应预先除去)。其反应式如下：

$$I^- + 3Br_2 + 3H_2O \longrightarrow IO_3^- + 6H^+ + 6Br^-$$

$$Br_2 + HCOO^- \longrightarrow 2Br^- + H^+ + CO_2$$

$$I^- + 3Br_2 + 3H_2O \longrightarrow IO_3^- + 6H^+ + 6Br^-$$

$$IO_3^- + 5I^- + 6H^+ \longrightarrow 3I_2 + 3H_2O$$

$$I_2 + 2Na_2S_2O_3 \longrightarrow 2NaI + Na_2S_4O_6$$

$$Br^-(I^-) + 3ClO^- \longrightarrow BrO_3^-(IO_3^-) + 3Cl^-$$

$$ClO^- + 2HCOO^- \longrightarrow Cl^- + CO_2 + H_2O$$

$$BrO_3^-(IO_3^-) + 6KI + 6HCl \longrightarrow 3I_2 + Br^-I^- + 6KCl + 3H_2O$$

$$I_2 + 2Na_2S_2O_3 \longrightarrow 2NaI + Na_2S_4O_6$$

(二)制样

1. 碘离子的定性

取 5 mL 水样于试管中，加数滴盐酸溶液($\varphi_{HCl}=50\%$)，再加少许氯酸钾，最后加数毫升三氯甲烷，振荡，若三氯甲烷层中显粉红色，则表明水样中含碘离子。

2. 溴离子的定性

取 5 mL 水样于试管中，加数滴重铬酸钾溶液、1 mL 浓硫酸、1 mL 硫酸品红溶液和 2 mL 三氯甲烷，激烈振荡，在三氯甲烷层中出现红色，则表明水样中含溴离子。

3. 样品预处理

用大肚移液管取定体积含碘、溴离子的水样于烧杯中，加两滴硝酸溶液($\varphi_{HNO_3}=50\%$)，放置 1~2 h 后加氢氧化钠溶液($\omega_{NaOH}=4\%$)至铁离子完全沉淀；加 5~10 mL 碳酸锌悬浮液，在电炉上加热至微沸，冷却后移入 250 mL 容量瓶中，定容、摇匀、干过滤，记作滤液F，保留滤液F用于碘、溴离子的测定。

(三)分析程序

1. 碘离子的测定

使用除去硫化氢、铁离子、锰离子和有机物得到的滤液F测碘离子的含量和碘、溴离子合量。用大肚移液管取定体积滤液F(碘离子含量应为1~2 mg)于碘量瓶中，加1~2滴甲基橙指示剂，加冰乙酸使溶液呈酸性，再加2~3 mL饱和溴水，水封密闭，放置10~15 min；滴加甲酸钠溶液(ω_{HCOONa} =10%)分解过剩溴直到溴的颜色褪尽，补加1 mL苯酚乙醇溶液，用水沿瓶口冲洗两次；加8~10 mL磷酸，0.5 g碘化钾，水封密闭，置于暗处；5 min后用硫代硫酸钠标准溶液滴至淡黄色时加1 mL淀粉指示剂，继续滴至蓝色消失为终点。硫代硫酸钠标准溶液消耗量(mL)记作V_9。同样方法做空白试验，空白消耗的硫代硫酸钠标准溶液体积(mL)记作V_8。

2. 碘、溴离子合量的测定

用大肚移液管取定体积F(溴含量应为1~10 mg)于碘量瓶中，加水稀释至50 mL，再加2 mL乙酸锌溶液，滴加氢氧化钠(ω_{NaOH} =4%)至沉淀生成为止；然后滴加冰乙酸至沉淀溶解，此时溶液的pH值为6.0~6.5，再加5 mL乙酸钠溶液(3 mol/L)，用大肚移液管取10 mL次氯酸钠溶液(或次氯酸钙溶液)于碘量瓶中，放置10~15 min；放置过程中如有沉淀出现，则应补加冰乙酸使沉淀完全溶解；在电炉上煮沸2~3 min后，取下，冷却，小心沿瓶壁四周加入10 mL甲酸钠溶液(ω_{HCOONa} =10%)，摇匀，再煮沸2~3 min，在冷水中将试液冷却至室温；加0.5 g碘化钾(此时试液应无色，否则应重做)，再加20 mL盐酸溶液(φ_{HCl} =50%)，水封密闭，在暗处放置5 min，用硫代硫酸钠标准溶液滴定至淡黄色；加1 mL淀粉指示剂，继续滴定至溶液蓝色褪尽为终点。硫代硫酸钠标准溶液耗量(mL)记作V_{10}。同样方法做空白试验(在空白中加0.5 g氯化钠)，空白耗量(mL)记作V_{11}。

(四)计算

碘、溴离子含量的计算见式(5-28)、式(5-29)：

$$\rho_{I^-}(mg/L) = \frac{c_{硫代}(V_9 - V_8) \times 21.15}{V'} \times 10^3 \tag{5-28}$$

$$\rho_{Br^-}(mg/L) = \frac{c_{硫代}(V_{10} - V_9 - V_{11}) \times 13.32}{V''} \times 10^3 \tag{5-29}$$

式中　$c_{硫代}$——硫代硫酸钠标准溶液的浓度，mol/L；

　　　V_8——测碘空白时，硫代硫酸钠标准溶液的消耗量，mL；

　　　V_9——测碘时，硫代硫酸钠标准溶液的消耗量，mL；

　　　V_{10}——测碘、溴离子合量时，硫代硫酸钠标准溶液的消耗量，mL；

　　　V_{11}——测碘、溴离子合量空白时，硫代硫酸钠标准溶液的消耗量，mL；

　　　V'——测碘离子含量时试料的体积，mL；

　　　V''——测碘、溴离子合量时试料的体积，mL；

　　　21.15、13.32——与1.00 mL硫代硫酸钠标准溶液($c_{Na_2S_2O_3}$=1.000 mol／L)完全反应所需要的碘、溴离子质量，mg。

二、离子色谱法

测定溴离子的含量详见本章第三节。

第九节 硼含量的测定(滴定法)

该法适用于油气田水中无机硼含量大于 10 mg/L 的测定。

一、方法提要

本法所测定的是硼酸和硼酸盐中的硼含量。无机硼酸盐在酸性介质中经煮沸分解为硼酸。硼酸与甘露醇螯合成较强的络合酸。用氢氧化钠标准溶液滴定(共存的二氧化碳、硫化氢、硫酸根、铁、铝、铵离子干扰硼的测定，需预处理)。其反应式如下：

$$Na_2B_4O_7+2HCl \longrightarrow H_2B_4O_7+2NaCl$$

$$H_2B_4O_7+5H_2O \longrightarrow 4H_3BO_3$$

$$2H_3BO_3+C_6H_{14}O_6 \longrightarrow C_6H_8(OH)_2 \cdot (BO_3H)_2+4H_2O$$

$$C_6H_8(OH)_2 \cdot (BO_3H)_2+2NaOH \longrightarrow C_6H_8(OH)_2 \cdot (BO_3Na)_2+2H_2O$$

二、制样

(一)硼的定性

取 10 mL 水样于坩埚中，滴加氢氧化钠溶液(ω_{NaOH} =0.5%)使水样呈碱性，置于电炉上蒸发至干后再加 3 滴四羟基蒽醌硫酸溶液，由紫色变为蓝色则表明水样中含硼。

(二)水样预处理

用大肚移液管取 100 mL 含硼水样于烧杯中，加两滴甲基红指示剂，再加盐酸溶液(φ_{HCl} =50%))使呈酸性；煮沸、搅拌下滴加 5 ~ 10 mL 氯化钡溶液，这时硼酸盐转化为硼酸，硫酸根以钡盐形式沉淀下来，二氧化碳、硫化氢则以气态溢出；再加氢氧化钠溶液使水样呈碱性，煮沸以除去铵、铁、铝离子；冷却后移入 250 mL 容量瓶中，定容、摇匀，干过滤于三角瓶中，记作滤液 G，保留滤液 G 用于硼的测定。

三、测定

使用除去二氧化碳、硫化氢、硫酸根、铵、铁、铝离子得到的滤液 G 测硼。用大肚移液管取定体积滤液 G(硼含量应为 2 ~ 10 mg)于碘量瓶中，加 2 滴甲基红指示剂，滴加盐酸(φ_{HCl} =50%)使水样呈酸性；煮沸 10 min 逐尽二氧化碳和分解硼酸盐，立即置于冷水中冷却；用氢氧化钠标准溶液以滴定的方式调节溶液的 pH 值至溶液由红色刚变为黄色为止；按每 100 mL 溶液加 3 g 甘露醇的比例向试样中加甘露醇，再加 2 ~ 3 滴酚酞指示剂；用氢氧化钠标准溶液继续滴定至溶液变成红色，再加少许甘露醇；若溶液的红色消失，则应补滴氢氧化钠标准溶液，直至再加甘露醇红色不消失为止。

氢氧化钠标准溶液耗量(mL)记作 V_{12}，以同样方法做空白试验。空白试验时，氢氧化钠标准溶液耗量(mL)记作 V_{13}。

四、计算

硼含量的计算见式(5-30)：

$$\rho_{\mathrm{B}}(\mathrm{mg/L}) = \frac{c_{\text{氢}}(V_{12} - V_{13}) \times 10.81}{V} \times 10^3 \tag{5-30}$$

式中　$c_{\text{氢}}$——氢氧化钠标准溶液的浓度，mol/L；

　　　V_{12}——测定硼时氢氧化钠标准溶液的消耗量(不包括调节 pH 值时的消耗量)，mL；

　　　V_{13}——空白试验时氢氧化钠标准溶液的消耗量，mL；

　　　V——测硼含量时试料的体积，mL；

　　　10.81——与 1.00 mL 氢氧化钠标准溶液($c_{\mathrm{NaOH}} = 1.000$ mol/L)完全反应所需要的硼的质量，mg。

第十节　钠、钾离子含量的计算方法

一、方法提要

油气田水中以钠(钠、钾)、钙、镁、钡(钡+锶)、氯、硫酸根和碳酸根(其中钡和硫酸根离子不能共存于同一水中)等离子为主。根据溶液电中性原理：所有阴离子带负电荷的总和应等于所有阳离子带正电荷的总和。当测出钠离子以外的其他五种离子的含量，即可计算出钠离子含量。计算出的钠离子含量实际上包括锂、铵、钾及许多未被测定的离子。

二、计算

钠、钾离子含量的计算见式(5-31)~式(5-32)：

$$c_{\mathrm{Na^+(Na^+ + K^+)}}(\mathrm{mmol/L}) = (\mathrm{Cl^-} + 2\mathrm{SO_4^{2-}} + \mathrm{HCO_3^-} + 2\mathrm{CO_3^{2-}})(\mathrm{mmol/L})$$
$$- (2\mathrm{Ca^{2+}} + 2\mathrm{Mg^{2+}} + 2\mathrm{Ba^{2+}})(\mathrm{mmol/L}) \tag{5-31}$$

$$\rho_{\mathrm{Na^+}}(\mathrm{mg/L}) = c_{\mathrm{Na^+(Na^+ + K^+)}}(\mathrm{mmol/L}) \times 22.99 \tag{5-32}$$

第十一节　总矿化度的计算

总矿化度按式(5-33) 计算。

总矿化度(mg/L) = 水中阴离子总量(mg/L) + 水中阳离子总量(mg/L)　　(5-33)

第十二节　油气田水的分类(苏林分类)

一、方法提要

化学法所测油气田水各组分以毫摩尔/升(mmol/L)为单位，计算原生水型特性系数，判别油气田水的水型。

二、水型判别

油气田水水型与原生水型特性系数的关系见表5-3。

表 5-3　油气田水水型与原生水型特性系数的关系

油气田水水型	原生水型特性系数		
	Na^+/Cl^-	$(Na^+-Cl^-)/2SO_4^{2-}$	$(Cl^- - Na^+)/2Mg^{2+}$
氯化钙	<1	<0	>1
氯化镁	<1	<0	<1
碳酸氢钠	>1	>1	<0
硫酸钠	>1	<1	<0

附录A 溶液的制备和标定

A1 标准溶液的制备和标定

A1.1 硝酸银标准溶液(c_{AgNO_3} = 0.05 mol/L)

A1.1.1 制备

称取 8.5 g 硝酸银，溶于 1 L 水中，摇匀，保存于棕色磨口瓶中。

A1.1.2 标定

称取于 500～600 ℃灼烧至恒量的氯化钾 0.1 g，准确至 0.000 1 g，溶于 70 mL 水中；加 1 mL 铬酸钾指示剂，用待标定的硝酸银溶液滴至生成砖红色悬浮物为终点。同样方法做空白试验。

A1.1.3 计算

硝酸银标准溶液含量的计算见式(A-1)：

$$c_{AgNO_3}(mol/L) = \frac{m_{KCl}}{(V_{15} - V_{16}) \times 0.074\ 6} \tag{A-1}$$

式中 m_{KCl}——氯化钾质量，g；

V_{15}——待标定的硝酸银溶液的消耗量，mL；

V_{16}——空白试验时待标定的硝酸银溶液的消耗量，mL；

0.074 6——与 1.00 mL 硝酸银标准溶液(c_{AgNO_3}=1.000 0 mol/L)完全反应所需要的氯化钾的质量，g。

A1.2 盐酸标准溶液(c_{HCl}=0.05 mol/L)

A1.2.1 制备

移取 4.5 mL 浓盐酸(ρ_{HCl}=1.19 g/L)与水混合并稀释至 1 L。

A1.2.2 标定

称取于 105～110 ℃烘 2 h 的无水碳酸钠 0.1 g，准确至 0.000 1 g，置于三角瓶中；溶于 50 mL 不含二氧化碳的水中，加 4 滴甲基橙指示剂，用待标定的盐酸溶液滴至橙红色为终点。

A1.2.3 计算

盐酸标准溶液含量的计算见式(A-2)：

$$c_{HCl}(mol/L) = \frac{m_无}{V_{17} \times 0.053\ 0} \tag{A-2}$$

式中 $m_无$——无水碳酸钠质量，g；

V_{17}——待标定的盐酸标准溶液的消耗量，mL；

0.053 0——与 1.00 mL 盐酸标准溶液(c_{HCl}=1.000 0 mol/L)完全反应所需要的碳酸钠的质量，g。

A1.3 EDTA 标准溶液(c_{EDTA}=0.012 5 mol/L)

A1.3.1 制备

称取 4.65 g EDTA($C_{10}H_{14}N_2O_8Na_2 \cdot 2H_2O$)溶于水中，用水稀释至 1 L，摇匀。

A1.3.2 标定

称取在 800 ℃灼烧至恒量的氧化锌 0.01~0.02 g，准确至 0.000 1 g，置于烧杯中；用水润湿，滴加盐酸溶液(φ_{HCl}=50%)，在电炉上微沸，使氧化锌完全溶解；加水使总体积为 50 mL，用氨水调节 pH 值至 7~8；加 10 mL 氨水—氯化铵缓冲溶液，再加 3~4 滴铬黑 T 指示剂，用待标定的 EDTA 溶液滴至纯蓝色为终点。

A1.3.3 计算

EDTA 标准溶液含量的计算见式(A-3)：

$$c_{EDTA}(mol/L) = \frac{m_{氧}}{V_{18} \times 0.081\ 39} \tag{A-3}$$

式中 $m_{氧}$——氧化锌的质量，g；

V_{18}——待标定的 EDTA 标准溶液的耗量，mL；

0.081 39——与 1 mL EDTA 标准溶液(c_{EDTA} = 1.000 0 mol/L)完全反应需要的氧化锌的质量，g。

A1.4 氢氧化钠标准溶液(c_{NaOH} = 0.05 mol/L)

A1.4.1 制备

称取 2.3 g 氢氧化钠(NaOH)于小烧杯中，加水 20~30 mL 使其溶解，然后在其中加入 2~3 mL 氯化钡溶液沉淀碳酸盐；静置，将清液移入 1 L 容量瓶中，用不含二氧化碳的水定容，摇匀。

A1.4.2 标定

称取在 105~110 ℃烘至恒量的苯二甲酸氢钾($KHC_8H_4O_4$)0.3 g，精确至 0.000 1 g；溶于 80 mL 不含二氧化碳的水中，加 2 滴酚酞指示剂，用待标定的氢氧化钠溶液滴至粉红色为终点。同时做空白试验。

A1.4.3 计算

氢氧化钠标准滴定溶液含量的计算见式(A-4)：

$$c_{NaOH}(mol/L) = \frac{m_{苯}}{(V_{19} - V_{20}) \times 0.204\ 2} \tag{A-4}$$

式中 $m_{苯}$——苯二甲酸氢钾的质量，g；

V_{19}——待标定的氢氧化钠溶液的消耗量，mL；

V_{20}——空白试验时，待标定的氢氧化钠溶液的消耗量，mL；

0.204 2——与 1.00 mL 氢氧化钠标准溶液(c_{NaOH} = 1.000 0 mol/L)完全反应所需要的苯二甲酸氢钾的质量，g。

A1.5 硫代硫酸钠标准溶液($c_{Na_2S_2O_3}$ =0.03 mol/L；$c_{Na_2S_2O_3}$ =0.01 mol/L)

A1.5.1 制备

分别称取 8.4、2.8 g 硫代硫酸钠($Na_2S_2O_3 \cdot 5H_2O$)于两个烧杯中，各加 400 mL 刚煮

沸冷却的水至完全溶解后，加入 0.05 g 碳酸钠及 0.01 g 碘化汞；然后转入 1 L 容量瓶中，用刚煮沸冷却后的水稀释至刻度，摇匀。静置 8~14 d 后再进行标定。

A1.5.2 标定

称取在 120 ℃烘干至恒量的重铬酸钾($K_2Cr_2O_7$)0.01~0.04 g，准确至 0.000 1 g，置于碘量瓶中；溶于 25 mL 水，加 5 mL 浓盐酸及 2 g 碘化钾，充分混合稀释至 200 mL；然后用待标定的硫代硫酸钠溶液滴至淡黄色，再加入 5 mL 淀粉指示剂继续滴至淡蓝色消失而亮绿色生成为终点。同时做空白试验。

A1.5.3 计算

硫代硫酸钠标准溶液含量的计算见式(A-5)：

$$c_{Na_2S_2O_3}(mol/L) = \frac{m_重}{(V_{21} - V_{22}) \times 0.049\ 03} \tag{A-5}$$

式中　$m_重$——重铬酸钾质量，g；

　　　V_{21}——待标定的硫代硫酸钠溶液的消耗量，mL；

　　　V_{22}——空白试验时，待标定的硫代硫酸钠溶液的消耗量，mL；

　　　0.049 03——与 1.00 mL 硫代硫酸钠标准溶液($c_{Na_2S_2O_3}$ = 1.000 0 mol/L)完全反应所需要的重铬酸钾质量，g。

A1.6　钡、镁离子混合标准溶液

称取氯化钡($BaCl_2 \cdot 2H_2O$)2.44 g，氯化镁($MgCl_2 \cdot 6H_2O$)1.2 g 共溶于水中，用水稀释至 1 L，摇匀。此溶液为氯化钡(0.01 mol/L)和氯化镁(0.005 mol/L)的混合标准溶液。

A1.7　碳酸锌悬浮液

将 10 g 碳酸锌溶于 200 mL 水中，将此溶液与 100 mL 氢氧化钠溶液(ω_{NaOH}=10%)混合。

A1.8　硫酸品红溶液

将 1 g 品红溶于 1 L 水中，加亚硫酸钠至溶液褪色为止。

A1.9　苯酚乙醇溶液($\varphi_{苯酚乙醇}$=20%)

将 100 g 苯酚溶于 100 mL 无水乙醇中，加 200 mL 水，摇匀。

A2　缓冲溶液的制备

A2.1　氨水—氯化铵缓冲溶液(pH≈10)

称取 27 g 氯化铵溶于水中，加浓氨水 197 mL，再用水冲稀至 1 L。

A2.2　乙酸—乙酸铵缓冲溶液(pH≈5.9)

称取 30 g 乙酸铵溶于 100 mL 水中，加 1 mL 冰乙酸摇匀。

A3　离子色谱淋洗液的制备

A3.1　阳离子淋洗液

甲烷磺酸：$c_{CH_3SO_3H}$ 为 15~35 mmol/L；

硫酸：$c_{H_2SO_4}$ 为 5~10 mmol/L。

A3.2　阴离子淋洗液

$Na_2CO_3 \cdot NaHCO_3$ 二元淋洗液浓度分别为 2.0 mmol/L 和 3.0 mmol/L；

NaOH：c_{NaOH} =3 ~ 5 mmol/L。

A4　指示剂

　　a.铬酸钾指示剂：$\rho_{K_2CrO_4}$ =50 g/L(ρ 为溶液的质量浓度) 。

　　b.甲基橙指示剂：$\rho_{甲基橙}$=1 g/L 。

　　c.酚酞指示剂：$\rho_{酚酞}$=1 g/L，其介质为体积分数是 90%的乙醇溶液。

　　d.甲基红指示剂：$\rho_{甲基红}$=1 g/L，其介质为体积分数是 60%的乙醇溶液。

　　e.铬黑 T 指示剂：$\rho_{铬黑T}$=5 g/L，其介质为体积分数是 50%的三乙醇铵溶液。

　　f.钙试剂指示剂：称取 0.5 g 钙试剂和 5 g 硫酸钾于玛瑙乳钵中，研磨至 0.18 mm，保存在干燥器中。

　　g.淀粉指示剂：$\rho_{淀粉}$=5 g/L，现配。

附录 B 温度系数表

表 B 温度系数

温度 (℃)	水样标准密度 D_{20}^{20} (g/cm³)				
	1.023 5	1.038 7	1.062 2	1.078 5	1.100 1
	温度系数 $r(\times 10^{-3})$				
6	3.91	3.54	4.19	4.91	5.75
7	3.41	3.34	3.94	4.56	5.45
8	2.90	3.14	3.68	4.21	5.15
9	2.81	2.99	3.58	4.06	4.90
10	2.71	2.84	3.48	3.91	4.65
11	2.61	2.69	3.29	3.76	4.30
12	2.51	2.54	3.10	3.61	3.95
13	2.41	2.44	2.94	3.51	3.70
14	2.31	2.34	2.78	3.41	3.45
15	2.19	2.24	2.58	3.16	3.35
16	2.07	2.14	2.38	2.91	3.25
17	2.05	2.08	2.26	2.89	3.00
18	2.02	2.02	2.13	2.86	2.75
19	1.86	1.89	2.03	2.81	2.15
20	0.00	0.00	0.00	0.00	0.00
21	−1.71	−1.79	−1.83	−1.61	−1.85
22	−1.61	−1.74	−1.78	−1.41	−1.55
23	−1.51	−1.69	−1.76	−1.11	−1.50
24	−1.41	−1.64	−1.73	−0.81	−1.45
25	−1.21	−1.49	−1.71	−0.76	−1.25
26	−1.11	−1.34	−1.68	−0.71	−1.05
27	−1.06	−1.19	−1.63	−0.61	−1.10
28	−1.01	−1.04	−1.58	−0.51	−1.15
29	−0.96	−0.99	−1.53	−0.31	−1.05
30	−0.91	−0.94	−1.48	−0.11	−0.95

附录 C 不同温度下纯水的密度值

表 C 不同温度下纯水的密度值

温 度 (℃)	纯水的密度 (g/cm³)	温 度 (℃)	纯水的密度 (g/cm³)
13	0.999 40	27	0.996 54
14	0.999 27	28	0.996 26
15	0.999 13	29	0.995 97
16	0.998 97	30	0.995 67
17	0.998 80	40	0.992 21
18	0.998 62	50	0.988 04
19	0.998 43	60	0.982 31
20	0.998 23	70	0.977 79
21	0.998 02	80	0.971 80
22	0.997 80	90	0.965 31
23	0.997 57	100	0.958 35
24	0.997 32	150	0.917 3
25	0.997 07	200	0.862 8
26	0.996 81		

第六章 油田注水水质检测技术

第一节 名词术语

一、悬浮固体

悬浮固体通常是指在水中不溶解而又存在于水中不能通过过滤器的物质。在测定其含量时，由于所用的过滤器的孔径不同，对测定的结果影响很大。SY/T5329—94 标准规定，油田注水中的悬浮固体是指采用平均孔径 0.45 μm 的纤维素脂微孔膜过滤，经汽油或石油醚溶剂洗去原油后，膜上不溶于油水的物质。

二、悬浮物颗粒直径中值

颗粒直径中值是指水中颗粒的累积体积占颗粒总体积 50%时的颗粒直径。

三、含油

在酸性条件下，水中可以被汽油或石油醚萃取出的石油类物质，称为水中含油。

四、铁细菌

能从氧化二价铁中得到能量的一群细菌，形成的氢氧化铁可在细菌膜鞘的内部或外部储存。

五、腐生菌(TGB)

腐生菌是"异养"型的细菌，在一定条件下，它们从有机物中得到能量，产生黏性物质，与某些代谢产物累积沉淀可造成堵塞。

六、硫酸盐还原菌(SRB)

硫酸盐还原菌是指在一定条件下能够将硫酸根离子还原成二价硫离子，进而形成副产物硫化氢，对金属有很大腐蚀作用的一类细菌，腐蚀反应中产生硫化铁沉淀可造成堵塞。

第二节 注水水质分析方法

一、取样前的准备和采集水样的要求

(1)采集注水系统的水样应具有代表性。

(3)以石油醚(三氯甲烷或汽油)做空白,在分光光度计上测其吸光度值(测定条件同(四)项标准曲线的绘制),根据测得的吸光度值在标准曲线上查出含油量。

(六)计算结果

含油量按下式计算：

$$c_0 = \frac{m_0}{V_w} \times 10^3 \qquad (6\text{-}3)$$

式中　　c_0——含油量，mg/L；

m_0——在标准曲线上查出的含油量，mg；

V_w——萃取水样体积，mL。

四、平均腐蚀率

(一)原理

将试片悬挂在注水体系内,在正常生产条件下,(30 ± 2)d 后取出,根据试验前后试片的损失量计算平均腐蚀率。

(二)试片的加工

(1)材质。应以现场实际使用的钢材加工成试片,一般亦可使用 A3 钢。

(2)试片形状及尺寸。试片采用长方形,外形尺寸 $l \times b \times h = 76$ mm $\times 13$ mm $\times 1.5$ mm,在一端距边线 10 mm 处钻一直径为 8 mm 小孔并打号。

(3)试片加工要求。试片经刨、磨工序使其表面粗糙度 R_a 为 0.63 ~ 1.25 μm。

(三)准备工作

(1)用游标卡尺测量试片尺寸并计算表面积。

(2)用石油醚脱脂,再用无水乙醇清洗,取出试片用滤纸擦干,放于干燥器中 4 h 后称量,称准至 0.1 mg。

(3)配制试片清洗液。

① 称取柠檬酸三铵 10 g,加入 90 mL 蒸馏水使其溶解(使用时应在水浴上将溶液加热到 60 ℃)。

② 在 5% ~ 10%的盐酸溶液中加 1% ~ 2%缓蚀剂(缓蚀剂浓度由空白片失量小于 1 mg 确定),摇匀待用。

(四)现场挂片

将准备好的试片固定在试片夹座上,然后安装到注水流程上,应使试片侧面迎着水流方向,挂片时间(30 ± 2)d,具体安装方法见附录 A。

(五)试验后试片的处理

将试片取出,用滤纸轻轻擦去油污。用丙酮洗油后放于清洗液(见(三)(3)中的①或②项)中 1 ~ 5 min(清洗时可用毛刷轻轻刷洗),试片清洗后用蒸馏水冲洗,再用乙醇脱水并用滤纸擦干表面,将其存放于干燥器中 4 h 后称量。

(六)计算结果

平均腐蚀率按下式计算：

$$F = \frac{(m_{qf} - m_{hf}) \times 3\ 650}{S t_f \rho} \tag{6-4}$$

式中　F——平均腐蚀率，mm/a；

　　　m_{qf}、m_{hf}——试验前、后试片质量，g；

　　　S——试片表面积，cm^2；

　　　t_f——挂片时间，d；

　　　ρ——试片材质密度，g/cm^3。

五、硫酸盐还原菌(SRB)、腐生菌(TGB)与铁细菌含量

(一)原理

采用绝迹稀释法，即将欲测定的水样用无菌注射器逐级注入到测试瓶中进行接种稀释，送实验室培养。根据细菌瓶阳性反应和稀释的倍数，计算出水样中细菌的数目。

(二)材料

(1)腐生菌(TGB)测试瓶；

(2)铁细菌测试瓶与指示剂；

(3)硫酸盐还原菌(SRB)测试瓶；

(4)1 mL 注射器(在 121 ℃灭菌 20 min)；

(5)恒温培养箱；

(6)电热消毒器。

(三)分析步骤

(1)根据水样中细菌含量高低，将数个细菌测试瓶排成一组，并依次编上序号。细菌测试瓶个数的确定原则：保证接种后最后一个为阴性，一般情况下 5~7 个。

(2)用无菌注射器取 1.0 mL 水样注入 1 号瓶内，充分振荡。

(3)用另一支无菌注射器从 1 号瓶内取 1.0 mL 水样注入 2 号瓶内，充分振荡。

(4)再更换一支无菌注射器从 2 号瓶中取 1.0 mL 水样注入到 3 号瓶中，充分振荡。

(5)依次类推一直稀释到最后一瓶为止。

(6)把上述测试瓶放入恒温培养箱中(培养温度控制在现场水温的±5 ℃内)，SRB 菌 2 周后读数，TGB 菌和铁细菌 7 d 后读数。

(四)细菌生长的鉴别

SRB 瓶中液体变黑或有黑色沉淀，即表示有硫酸盐还原菌。TGB 瓶中液体由红变黄或浑浊即表示有腐生菌。铁细菌测试瓶出现棕红色即表示有铁细菌。

(五)菌量计量

稀释法三次重复菌量统计查表 6-1。稀释法二次重复菌量统计查表 6-2。

细菌的查表只与重复度有关，菌量数由表 6-1 或表 6-2 中查出近似值，再扩大相应的次方数即可，细菌生长结果计算示例见表 6-3。

细菌测定推荐采用三次重复法，也可采用二次重复法。

表 6-1 稀释法三次重复菌量计数表

生长指标	菌量(个/mL)	生长指标	菌量(个/mL)	生长指标	菌量(个/mL)
000	0.0	201	1.4	302	6.5
001	0.3	202	2.0	310	4.5
010	0.3	210	1.5	311	7.5
011	0.6	211	2.0	312	11.5
020	0.6	212	3.0	313	16.0
100	0.4	220	2.0	320	9.5
101	0.7	221	3.0	321	15.0
102	1.1	222	3.5	322	20.0
110	0.7	223	4.0	323	30.0
111	1.1	230	3.0	330	25.0
120	1.1	231	3.5	331	45.0
121	1.5	232	4.0	332	110.0
130	1.6	300	2.5	333	140.0
200	0.9	301	4.0		

表 6-2 稀释法二次重复菌量计数表

生长指标	菌量(个/mL)	生长指标	菌量(个/mL)	生长指标	菌量(个/mL)
000	0.0	110	1.3	211	13.0
001	0.5	111	2.0	212	20.0
010	0.5	120	2.0	220	25.0
011	0.9	121	3.0	221	70.0
020	0.9	200	2.5	222	110.0
100	0.6	201	5.0		
101	1.2	210	6.0		

表 6-3 细菌菌量计数示例表

示例	长菌观察					生长指标	菌量(个/mL)
	1号瓶	2号瓶	3号瓶	4号瓶	5号瓶		
	0级	1级	2级	3级	4级		
1	++	++	--	--	--	200×10^1	2.5×10^1
2	+-	--	--	--	--	100×10^0	0.6×10^0
3	+++	+++	+++	++-	---	320×10^2	9.5×10^2
4	+++	+++	+++	+++	+++	$\geqslant 300 \times 10^4$	$\geqslant 2.5 \times 10^4$

六、溶解氧含量

溶解氧含量测定，现场快速测定采用测氧管比色法。

分析步骤如下：

(1)打开取样阀门，以 5～6 L/min 的流速使水畅流 3 min。

(2)将测氧塑料杯与取样胶管相接(不能漏气)，将流速调至 0.5～1.0 L/min，把测氧管插入杯内，待水流稳定后用力下按使测氧管尖端折断。

(3)用食指在水面下按紧断口，取出测氧管，擦干管壁并颠倒数次，直到水溶液混匀为止。

(4)立即同标准色管比较，直接读出溶解氧含量。

七、硫化物(指二价硫)含量

推荐采用亚甲蓝比色法，现场快速测定可用测硫管法。

(一)亚甲蓝比色法

1. 原理

在酸性条件下，硫离子可以与对二甲氨基苯胺盐酸盐(或硫酸盐)和三氯化铁作用，生成可溶性的染料——亚甲蓝，其颜色深度与硫离子浓度成正比。

在比色前加入磷酸氢二铵以除去三价铁离子所呈现的干扰色。

2. 准备工作

(1)对二甲氨基苯胺硫酸盐储备溶液。称取 27.2 g 对二甲氨基苯胺硫酸盐，溶于 80 mL硫酸溶液(5+3)中，转入 100 mL 容量瓶内，用蒸馏水稀释至刻度，摇匀(或采用对二甲氨基苯胺盐酸盐 15.7 g 溶于 100 mL 浓盐酸中)。

(2)对二甲氨基苯胺硫酸盐使用液。吸取对二甲氨基苯胺硫酸盐储备溶液 10 mL 置于1 000 mL 容量瓶中，用硫酸溶液(1+1)或盐酸稀释至刻度，摇匀。

(3)三氯化铁溶液。称取 100 g 三氯化铁，溶解于 100 mL 蒸馏水中。

(4)磷酸氢二铵溶液。称取 40 g 磷酸氢二铵，溶解于 100 mL 蒸馏水中。

(5)醋酸锌溶液。称取 22 g 醋酸锌，溶解于 100 mL 蒸馏水中。

(6)硫化物标准溶液的配制与标定详见附录 B。

3. 样品处理及分析步骤

(1)取 100 mL 水样置于已加入了 2～5 mL 醋酸锌溶液的细口瓶中，盖好瓶塞(亦可用白胶布将瓶盖粘牢，贴好标签送实验室分析)。

(2)小心地吸去取样瓶上部清液，将沉淀转入 25 mL(或 50 mL)比色管中，用蒸馏水稀释至刻度；如液面已超过刻度，应静置沉降后再吸去多余清液。

(3)向样品管及装有 25 mL(或 50 mL)蒸馏水的空白管中加入对二甲氨基胺硫酸盐使用液 1.5 mL、三氯化铁溶液 0.3 mL，摇匀，静置 5 min 后再加入磷酸氢二铵溶液 5.0 mL，摇匀。

(4)将(3)项所得溶液置于比色皿中，用空白管的溶液作参比，在分光光度计波长670 nm 处测其吸光度，在标准曲线上查出硫含量。

4. 标准曲线的绘制

(1)吸取 0.010 mg/mL 的硫化物(S^{2-})标准溶液 0.00，0.50，1.00，1.50，…，4.00 mL 分别移入 25 mL(或 50 mL)比色管中。

(2)以下操作按 3.(3)和 3.(4)项步骤进行。

(3)以吸光度值为纵坐标，二价硫含量为横坐标绘制标准曲线。

5. 计算结果

硫化物含量按下式计算：

$$c_L = \frac{m_L}{V_w} \times 10^3 \tag{6-5}$$

式中　c_L——水中硫化物含量，mg/L；

　　　m_L——在标准曲线上查出的硫含量，mg；

　　　V_w——取样体积，mL。

(二)测硫管比色法

具体的测定方法与步骤应按生产厂家的说明书要求进行。

注意事项：当测硫管比色法与亚甲蓝法测得结果差别大时，应以亚甲蓝法测得值为准。

八、侵蚀性二氧化碳

(一)原理

水样中加入固体碳酸钙后，如有侵蚀性二氧化碳存在，可生成与侵蚀性二氧化碳含量相当的重碳酸根离子：

$$CaCO_3 + CO_2 + H_2O = Ca(HCO_3)_2$$

用标准盐酸溶液测定新增加的碱度：

$$Ca(HCO_3)_2 + 2HCl = CaCl_2 + 2CO_2 + 2H_2O$$

同时测定未加固体碳酸钙水样的碱度(即原水样的碱度)，从二次测定消耗标准盐酸溶液之差计算侵蚀性二氧化碳的含量。

(二)准备工作

(1)碳酸钙的制备：将化学纯碳酸钙研细，取 100 g 置于 1 000 mL 量筒中，加入煮沸过的冷蒸馏水，搅动数分钟，静置 12 h 以上，弃去上层清液，再加入煮沸过的冷蒸馏水搅拌数分钟……如此处理 4~5 次。将所得固体置滤纸上，于通风处晾干，保存于玻璃瓶内备用。

(2)取水样：取容积 250~500 mL 具塞细口瓶，用水洗 3 次，再将取样管插入瓶底使水从瓶口溢出，加入(1)中处理的碳酸钙 3~5 g，塞紧瓶塞振荡，在标签上注明加入碳酸钙的量，同时再取一份不加碳酸钙的水样。

(3)混合指示剂的配制：

① 配制 1 g/L 甲基橙水溶液；

② 配制 2.5 g/L 酸性靛蓝水溶液。

将①和②两种溶液按体积比 1+1 混合后即可。

(4)0.02 mol/L 盐酸溶液：吸取 1.7 mL 浓盐酸置于 1 L 容量瓶内，用无二氧化碳的重蒸馏水稀至刻度。

(5)将高纯的无水碳酸钠放入称量瓶后，置于烘箱中，在 180 ℃下恒温 2 h，取出再置于干燥器内，冷至室温后准确称取 1.059 9 g 置于烧杯中，用煮沸并冷却的蒸馏水溶解后转入 1 000 mL 容量瓶中稀释至刻度摇匀，此溶液的浓度为：$c_{\frac{1}{2}Na_2CO_3} = 0.020\ 0\ mol/L$。

(6)准确吸取(5)中的碳酸钠标准溶液 25 mL，加(3)中混合指示剂 3 滴，用浓度为 0.02 mol/L 盐酸溶液滴定至溶液由绿色变为紫色为终点，记下盐酸用量 V_C。

(7)吸取 25 mL 蒸馏水与标定盐酸相同的条件下做空白滴定，记下盐酸用量 V_K，按式(6-6)计算盐酸的准确浓度：

$$c_{HCl} = \frac{0.200\ 0 \times 25}{V_C - V_K} \qquad (6-6)$$

式中　c_{HCl}——盐酸标准溶液的浓度，mol/L；

　　　　V_C——滴定碳酸钠标准溶液消耗盐酸的体积，mL；

　　　　V_K——空白样消耗盐酸的体积，mL。

(三)分析步骤

(1)将(二)(2)中加碳酸钙粉的取样瓶振荡 2~3 次(每摇动一次等澄清后再摇第二次)，或在电动振荡器上振荡 6 h。

(2)待固体碳酸钙全部沉到瓶底后，用虹吸管吸出上部液体 25 mL 或 50 mL，置于三角瓶中，加入(二)(3)中混合指示剂 3 滴，用标准盐酸溶液滴定至紫色为终点。

(3)吸取(2)中相同体积的另一瓶不加碳酸钙的水样 25 mL 或 50 mL，置于三角瓶中，加入(二)(3)中混合指示剂 3 滴，用标准盐酸溶液滴定至紫色为终点。

(四)计算

侵蚀性二氧化碳的浓度按下式计算：

$$c_{CO_2} = \frac{(V_1 - V_2) \times c_{HCl} \times 22}{V} \times 10^3 \qquad (6-7)$$

式中　c_{CO_2}——水中侵蚀性二氧化碳的浓度，mg/L；

　　　　V_1——加固体碳酸钙水样消耗标准盐酸的体积，mL；

　　　　V_2——不加固体碳酸钙水样消耗标准盐酸的体积，mL。

如果 $V_1 = V_2$ 说明水很稳定，不结垢也不含侵蚀性二氧化碳；$V_1 < V_2$ 说明此水不稳定，有碳酸盐沉淀出现；$V_1 > V_2$ 说明水中有侵蚀性二氧化碳。

九、铁含量

总铁含量的测定，室内推荐采用磺基水杨酸法，野外快速测定推荐采用硫氰酸盐法。

(一)磺基水杨酸比色法

1. 原理

在酸性介质中，水样中的二价铁离子用高锰酸钾或双氧水氧化，控制溶液的 pH 值 (pH=1.8～2.5)，三价铁离子与磺基水杨酸反应生成紫色络合物，其颜色强度与三价铁离子的含量成正比，借此进行比色测定水中总铁含量。

2. 准备工作

(1)配制 100 g/L 磺基水杨酸溶液。

(2)配制 pH=2.2 的缓冲溶液。吸取 0.2 mol/L 的盐酸溶液 230 mL，与 0.2 mol/L 的苯二甲酸氢钾溶液 250 mL 混合后用蒸馏水稀释至 1 000 mL。

(3)铁标准溶液。准确称取 0.863 4 g 铁铵矾($FeNH_4(SO_4) \cdot H_2O$)置于烧杯中，加蒸馏水使之溶解，再加入 5 mL 硫酸，最后将溶液转移到 1 000 mL 容量瓶中，并用蒸馏水稀释到刻度后摇匀，此溶液每毫升含三价铁 0.10 mg。

吸取上述溶液 10.00 mL(或 50.00 mL)置于 100 mL 容量瓶中，并用蒸馏水稀释到刻度后摇匀，此溶液中三价铁的浓度为 0.01 mg/mL(或 0.05 mg/mL)。

(4)配制 10 g/L 高锰酸钾溶液。

(5)配制盐酸溶液(1+1)。

3. 铁标准曲线的绘制

(1)在 50 mL 容量瓶中分别加入浓度为 0.01 mg/mL 的铁标准溶液 0.00、0.50、1.00、1.50、2.00、3.00、4.00、5.00 mL。

(2)用蒸馏水稀释到 25 mL，加入 pH=2.2 的缓冲溶液 10 mL 及 10%的磺基水杨酸溶液 1.00 mL，并用蒸馏水稀释到刻度后摇匀，放置 20 min。

(3)在分光光度计上以含铁为零的溶液为空白，在波长 500 nm 处测定吸光度值，根据铁的含量与测得的吸光度值绘制标准曲线。

4. 分析步骤

(1)总铁。

① 吸取水样 25 mL(若水样浑浊，需过滤)置于 50 mL 比色管中，用蒸馏水作空白，各加入盐酸溶液(1+1)1.00 mL。

② 向①项的比色管中先各加 1 滴 10 g/L 高锰酸钾溶液，待颜色褪去后再补加 1.0 mL。

③ 将②项比色管放到水温约为 80 ℃的水浴中 30 min，若高锰酸钾的颜色褪去，应再补加直至颜色不褪为止。

④ 待③项溶液冷却后加入 1～2 滴双氧水使颜色褪去，沉淀溶解。

⑤ 用氨水调节④项溶液的 pH 值在 2.0 左右，再加入双氧水 0.2～0.5mL。

⑥ 向⑤项溶液中加入 pH=2.2 的缓冲溶液 10 mL，100 g/L 的磺基水杨酸溶液 1.00 mL，用蒸馏水冲至 50 mL，摇匀放置 20 min 后比色测定(比色条件同 3.(3)项)。

注意：若水样是未加任何化学剂的清水，则取 25 mL 水样置于比色管中，可省略②~④步骤，直接加入 0.20～0.5 mL 双氧水进行氧化，再按 3.(2)~(3)项操作。

(2)三价铁。

① 吸取水样 25 mL 置于二支 50 mL 比色管中。

② 向①项二支比色管中加入 pH=2.2 的缓冲溶液 10 mL；

③ 向②项其中一支比色管中加入 100 g/L 的磺基水杨酸溶液 1.00 mL，另一支比色管中不加。将二支比色管用蒸馏水冲至 50 mL，摇匀放置 20 min 后，以不加磺基水杨酸比色管的溶液作空白比色测定(其他比色条件同 3.(3)项)。

5. 计算结果

总铁(三价铁)含量按下式计算：

$$c_t = \frac{m_t}{V_w} \times 10^3 \tag{6-8}$$

式中　c_t——水样中总铁(三价铁)含量，mg/L；

　　　m_t——在标准曲线上查出的铁含量，mg；

　　　V_w——水样体积，mL。

6. 注意事项

(1)若水样颜色较深，应做空白校正。

(2)磺基水杨酸与三价铁离子反应，在不同的 pH 值溶液中生成不同的络合物。在 pH 值较低的溶液中络合物较稳定，因此，溶液的 pH 值应控制在 1.8~2.5。

(二)现场快速测铁法——硫氰酸盐法

1. 原理

在酸性条件下，高锰酸钾可将二价铁离子氧化成三价铁离子，而三价铁离子与硫氰酸根离子作用，生成红色络合物，其颜色深度与高铁离子浓度成正比，此法可测水中总铁。反应式如下：

$$Fe + nCNS^- = \left[Fe(CNS)_n\right]^{3-n}$$

2. 材料及试剂

(1)比色管：25 mL(或 50 mL)。

(2)注射器或移液管：1 mL(或 5 mL)。

(3)盐酸溶液(1+1)。

(4)500 g/L 硫氰酸铵溶液。

(5)铁标准溶液(见(一)项)。

(6)10 g/L 的高锰酸钾溶液。

3. 分析步骤

(1)取 10 mL(或 50 mL)水样放入 50 mL 比色管中，此管为样品管。

(2)取 10 mL(或 50 mL)蒸馏水置于另一支 50 mL 比色管中，此管为标准管。

(3)在样品管、标准管中各加入盐酸溶液(1+1)1.0 mL，逐滴加入 10 g/L 的高锰酸钾溶液至红色不褪，放置 2 min，摇匀后再加入 500 g/L 的硫氰酸铵溶液 2.00 mL，摇匀后静置 5 min。

(4)用注射器(或移液管)取标准铁溶液向标准管中逐滴加入，边摇边对比，直到两管颜色相同为止，记下消耗铁标准溶液的体积 V_t。

4. 计算结果

铁含量按下式计算：

$$c_t = \frac{V_t \cdot T_t}{V_w} \times 10^3$$ (6-9)

式中　c_t——铁含量，mg/L；

　　　V_t——在标准管中加入铁标准溶液的体积，mL；

　　　T_t——铁标准溶液的浓度，mg/mL。

5. 注意事项

(1)在处理含油污水过程中，由于加入了破乳、缓蚀、杀菌、防垢等化学剂，严重干扰铁的测定，所以用高锰酸氧化破坏有机物时，高锰酸钾必须过量。

(2)硫氰酸盐法测铁，此法显色后稳定性差，所以标准与样品应同时操作。

十、悬浮固体颗粒直径中值

(一)仪器、材料和试剂

(1)库尔特颗粒计数器或同类仪器；

(2)过滤器及孔径为 0.2 ~ 0.45 μm 的滤膜或超级过滤器；

(3)氯化钠；

(4)标准颗粒：校正仪器用的标准颗粒可采用直径为 2.09、8.70、13.7、19.1、39.4 μm 的 LATEX 标准颗粒或直径相近的其他标准颗粒。

(二)准备工作

(1)配制电解质溶液：称取氯化钠 20 g 置于烧杯中，加入蒸馏水 1 000 mL 使其溶解，用孔径为 0.2 ~ 0.45 μm 的滤膜或超级过滤器过滤，使水中颗粒符合测定要求。

(2)选用合适的小孔管和适宜的标准颗粒对仪器进行校正。校正方法参阅仪器使用说明书。

(3)悬浮固体含量较高的水样，应采用按(1)配制的电解质溶液进行稀释。

(三)分析步骤

(1)取 150 ~ 200 mL 水样于测试烧杯中，将测试烧杯放到仪器的样品架上。

(2)按仪器操作说明书进行分析测定。

(四)分析结果处理

1. 原水样中每个通道(颗粒直径范围)的颗粒数目

按式(6-10)计算：

$$N = \frac{V_s + V_d}{V_y V_s} \times n \times 10^3$$ (6-10)

式中　N——原水样中每个通道(颗粒直径范围)的颗粒数目，个/mL；

　　　n——分析测得的每个通道 V_y 体积中的颗粒数目，个；

　　　V_y——压力计取样体积，μL；

　　　V_s——测试杯中加入被测水样体积，mL；

V_d——测试杯中加入电解质溶液体积，mL。

2. 水样中颗粒体积计算

(1)每个通道颗粒体积按式(6-11)计算：

$$V = \frac{1}{6}\pi D^3 N \times 10^{-3} \tag{6-11}$$

式中　V——每个通道所含颗粒体积，mm^3/m^3；

　　　D——对应通道的颗粒直径，μm；

　　　N——对应通道的颗粒数，个/mL。

(2)水样中颗粒总体积按式(6-12)计算：

$$\sum V = V_1 + V_2 + V_3 + \cdots + V_n \tag{6-12}$$

式中　$\sum V$——水样中颗粒总体积，mm^3/m^3；

　　　V_1，V_2，V_3，$\cdots$，V_n——各个通道的颗粒体积，mm^3/m^3。

3. 颗粒直径中值的确定

以颗粒直径为横坐标,颗粒累加体积百分数为纵坐标作图。在图上颗粒累加体积50%时对应的直径为颗粒直径中值。

附录 A 现场挂片及测试方法

A1 现场挂片装置

A1.1 低压挂片装置

在泵站低压进水管线上选一点，用一直径为 10.16 cm 的管线短节，焊接在输水管线上构成三通管，使短节与管线垂直，短节的另一头须套扣，安一闸板式阀门(如图 A-1 所示)。

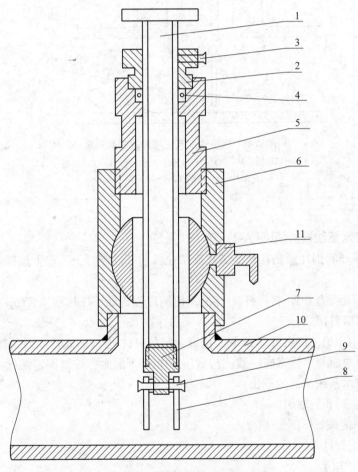

图 A-1 低压挂片器安装示意

1—拉杆；2—压帽；3—固定螺丝；4—"O"型密封圈；5—接管；6—阀门；
7—试片支架；8—试片；9—试片固定螺丝；10—输水管；11—阀门手柄

A1.2 高压挂片装置

在注水井入口管线上选择一点，关闭来水闸门和井口闸门，打开放空阀或取样阀，放压，将一直径为 10.16 cm(4 in)管线短节垂直焊接在管线上，构成三通管，短节另一端套内螺纹，与有"O"型密封圈的堵头紧固(如图 A-2 所示)。

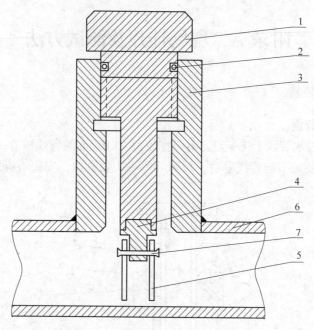

图 A-2　高压注水系统挂片器安装示意

1—丝堵螺帽；2—"O"型密封圈；3—接管；4—试片支架；
5—试片；6—输水管；7—试片固定螺丝

A2　测试方法

A2.1　低压注水系统挂片(见图 A-1)

A2.1.1　将准备好的钢片穿在挂片器试片支架拉杆前端的螺杆上，垫上聚四氟乙烯垫圈，用螺帽固定。

A2.1.2　拧松固定螺丝(3)，将拉杆(1)外抽，使钢片位置处于挂片器接管(5)内，将接管(5)与挂片处阀门口对接。

A2.1.3　打开阀门(6)，使之开启到最大位置，将拉杆(1)推入输入管线内，转动拉杆使钢片面积最大的两面与水流方向一致。拧紧压帽(2)至不漏水，拧紧固定螺丝(3)。

A2.2　低压注水系统试片的取出

A2.2.1　试片经 30 d 后取出。

A2.2.2　拧松固定螺丝(3)及压帽(2)。

A2.2.3　抽出拉杆(1)。

A2.2.4　关闭阀门(6)。

A2.2.5　卸下接管(5)。

A2.2.6　从试片支架上取下试片。

A2.3　高压注水系统挂片(见图 A-2)

A2.3.1　关闭来水阀门及井口闸门，打开放空阀或取样阀，放压。

A2.3.2　卸下管线上测试接口的堵头。

A2.3.3　将准备好的试片穿在试片支架的固定螺丝(7)上，试片两边用聚四氟乙烯垫垫衬，用螺帽固定。

A2.3.4 将安好试片的挂片器放入测试接口拧紧。

A2.3.5 关闭放空(取样)阀门，打开来水闸门及井口闸门。

A2.4　高压注水系统试片的取出

A2.4.1 试片经(30 ± 2)d 后取出。

A2.4.2 操作按 A2.3.1 条步骤进行。

A2.4.3 拧松挂片器，取出试片。

A2.4.4 将堵头装在测试接口上并拧紧。

A2.4.5 操作按 A2.3.5 条步骤进行。

A3　试验后试片处理

试验后试片的处理见本章第二节。

A4　试片腐蚀状态描述

观察并描述试片表面的腐蚀状态，试片有无点蚀、坑、沟及边缘腐蚀，腐蚀产物的颜色、状态等。

A5　结果计算

结果计算见本章第二节。

附录 B 硫化物标准溶液的配制与标定

B1 溶液的配制

B1.1 硫化物标准溶液的配制

称取 2 g 硫化物(分析纯)于具胶塞的 250 mL 三角瓶中，加蒸馏水 20 mL，再加入盐酸溶液(1+1)5～10 mL，将产生的硫化氢气体立即用 500 mL 5 g/L 的醋酸锌溶液吸收。再用 10 g/L 的氢氧化钠溶液调整吸收液的 pH 值为 9～10。

B1.2 0.005 mol/L 碘液的配制

称取碘化钾 2.0 g 置于烧杯中，加少量蒸馏水使其溶解，然后称入 1.27 g 碘，待溶解后用玻璃漏斗过滤后置于 1 000 mL 的棕色容量瓶中，用蒸馏水稀释至刻度，摇匀。

B1.3 淀粉溶液的配制

称取 1.0 g 可溶性淀粉置于烧杯中，加少量蒸馏水调成糊状，再加入沸蒸馏水 100 mL，搅匀。

B1.4 硫代硫酸钠标准溶液的配制与标定

配制与标定方法见附录 C。

B2 硫化物标准溶液的标定

B2.1 准确吸取 B1.1 条溶液 10.00 mL 或 20.00 mL 于 100 mL 碘量瓶中。

B2.2 加蒸馏水 40 mL，准确加入 5.00 mL 浓度为 0.005 mol/L 碘液。

B2.3 再加入硫酸溶液(1+9)5.0 mL，置暗处 3 min。

B2.4 用硫代硫酸钠标准溶液滴定至淡黄色时，加入 10 g/L 的淀粉溶液 0.5 mL，继续滴定至蓝色消失为止，记下消耗的硫代硫酸钠溶液体积 V_{Ls}。

B2.5 准确吸取浓度 0.005 mol/L 的碘液 5.00 mL 置于碘量瓶中，加蒸馏水 50 mL。

B2.6 以下操作按 B2.3 和 B2.4 条步骤进行。记下消耗的硫代硫酸钠标准溶液的体积 V_{Ld}。

B3 二价硫的浓度计算

二价硫的浓度按下式计算：

$$c_{S^{2-}} = \frac{16c_s(V_{Ld} - V_{Ls})}{V_{rs}} \tag{B-1}$$

式中 $c_{S^{2-}}$ ——二价硫的浓度，mg/mL；

c_s ——硫代硫酸钠溶液的浓度，mol/L；

$V_{Ld} - V_{Ls}$ ——滴定二价硫消耗的硫代硫酸钠体积，mL；

V_{rs} ——标定时取二价硫标准溶液的体积，mL。

B4 0.010 mg/mL 二价硫标准溶液

用 B3 条硫化物标准溶液稀释配制成二价硫浓度为 0.010 mg/mL 的标准溶液。

附录 C 硫代硫酸钠标准溶液的配制与标定

C1 0.01 mol/L 的硫代硫酸钠溶液的配制

称取分析纯的硫代硫酸钠($Na_2S_2O_3 \cdot 5H_2O$)2.5 g 置于烧杯中,加入煮沸过的蒸馏水使其溶解,再加入 0.2 g 碳酸钠,然后稀释至 1 000 mL,混匀。此溶液应贮存于棕色瓶中,放置数天后用重铬酸钾标准溶液进行标定。

C2 0.001 67 mol/L(0.010 0 N)重铬酸钾标准溶液的配制

称取重结晶或分析纯并在 150 ~ 180 ℃下烘 2 h 的重铬酸钾 0.490 3 g 置于烧杯中,用蒸馏水溶解后转移到 1 000 mL 的容量瓶中稀释到刻度,摇匀。此溶液的浓度即为 0.001 67 mol/L(0.010 0 N)。

C3 0.01 mol/L 硫代硫酸钠溶液的标定

准确吸取 C2 条标准溶液 20.00 mL,加盐酸溶液(1+1)5 mL,加碘化钾 0.5 g,加蒸馏水 35 mL 左右,用硫代硫酸钠溶液滴至淡黄色时,加入 10 g/L 的淀粉溶液 1 mL,继续滴定至蓝色消失为止,记下消耗硫代硫酸钠的体积。根据消耗的体积计算其浓度(标定时应同时做空白样,其操作方法是只把取 20.00 mL 重铬酸钾标准溶液改为蒸馏水,其他操作与标定相同)。

C4 硫代硫酸钠标准溶液浓度的计算

硫代硫酸钠标准溶液的浓度按下式计算:

$$c_{Na_2S_2O_3} = 6\frac{c_z V_{zg}}{V_{Lz} - V_{Lk}} \tag{C-1}$$

式中 $c_{Na_2S_2O_3}$ ——硫代硫酸钠溶液的浓度,mol/L;

c_z ——重铬酸钾溶液的浓度,mol/L;

V_{zg} ——重铬酸钾溶液的体积,mL;

V_{Lz} ——滴定重铬酸钾溶液时消耗的硫代硫酸钠溶液体积,mL;

V_{Lk} ——滴定空白样时消耗的硫代硫酸钠溶液体积,mL。

第七章 油田水沉积物组分分析

第一节 样品的采集

一、现场调查

油田水沉积物(垢物和腐蚀产物)的形成与油田水水质、水处理药剂性能、水处理工艺等因素有关,通过进行详细的现场调查和室内分析,才能确定油田水沉积物组成及其产生的原因。

(一)现场调查内容

(1)油田水水质。包括 pH 值、离子组成以及悬浮物、油分、铁(三价铁、亚铁)、溶解氧、硫化物、细菌等组分的含量。

(2)水处理工艺。包括工艺流程、水处理药剂种类及加量、原水种类及性质等。

(3)沉积物产生部位、沉积厚度、物理性状等。

(二)现场物理性质试验

(1)记录试样的颜色、气味、硬度和附着地方的外观,并照相。

(2)用磁铁检查是否有磁性氧化铁(Fe_3O_4)或铁粉。

(3)用千分表测定污垢和腐蚀产物下面的坑蚀和点蚀深度,同时用 pH 值 5.5~9.0 的精密 pH 试纸测定沉积物下面附着液的 pH 值,若为酸性,并且用磁铁检查又有磁性,说明是一般腐蚀。

(三)现场试样定性分析

(1)取约 0.1 g 现场采集的试样,加 10 mL 水,搅拌成悬浊液,取一部分用中速滤纸过滤,滤液和悬浊液按下列步骤进行试验。

(2)滤液先用精密 pH 试纸检验溶液的 pH 值,然后加质量分数为 1%的硝酸银溶液,若溶液产生白色浑浊,表明有氯离子存在。

(3)在悬浊液中加入 2 mL 盐酸(1+1)溶液,小火加热,若残留有不溶性物质,则表明可能含有二氧化硅和酸不溶物等。将上述酸化后的悬浊液过滤,将滤液分成三部分。

一部分滤液中滴加氨水(1+1)至溶液呈微碱性,若有白色浑浊产生,则可能为氢氧化铝沉淀—,若呈红棕色浑浊,则可能为氢氧化铁沉淀。

另一部分滤液中滴加 5%氯化钡溶液,若有白色浑浊产生,则可能有硫酸盐和(或)磷酸盐。再滴加盐酸溶液至强酸性,若白色浑浊不消失,则证实含有硫酸盐。

第三部分滤液中缓慢滴加 10%氢氧化钠溶液调至微碱性。若有白色沉淀,可继续加 10%氢氧化钠溶液至强碱性,若此时沉淀消失,则白色沉淀可能为氢氧化铝和(或)氢氧化锌。

(4)将少许现场采集的试样放入试管中,加 5~10 mL 盐酸溶液,立即在试管口放一条用 1 滴醋酸铅溶液(9.5 g 醋酸铅［Pb(CH₃COO)₂·3H₂O］加入 1 mL 6 mol/L 醋酸，溶解后用水稀至 100 mL)和 1～2 滴 10%氢氧化钠溶液浸湿的滤纸条，将试管在酒精灯上微热，试纸若变黑，说明试样中有硫化物存在。

(5)将现场采集的试样放入坩埚中，在 2 kW 电炉上加热，若有碳化和燃烧现象，说明有油污、生物黏泥或有机水质处理剂存在。

二、试样的采集

试样采集必须合乎试验目的。采样时应使用不锈钢工具，以防采样时引入污染物。为了保持样品不受外界影响，样品取回室内后，应尽快分析。所取垢样量应不少于 10 g，放在预先准备好的小塑料袋内，用细绳扎紧袋口，注明取样地点、部位及日期。记录压力、温度等相关条件，描述垢样的初始状态(包括颜色、外形及厚度)。

三、试样的预处理

(一)洗油
用于分析的样品需要烘干。样品从袋中取出破碎后，用百分之一天平称量，用汽油萃取直至恒量。计算垢样中的油分含量。

(二)烘干
待溶剂充分挥发后，放入真空烘箱中，抽真空，80 ℃恒温 4 h。烘干后的样品，在研钵中研磨至全部通过 80 目筛，置于称量瓶中，放入干燥器内备用。

第二节　灼烧减量的测定

一、方法提要

根据灼烧前后质量差，求得灼烧减量。灼烧减量为二氧化碳、水分(结晶和吸附水)、硫、油污以及易挥发物质的总量。

二、分析步骤

称取试样 0.300 0～0.500 0 g，置于已在(950±20) ℃灼烧并恒量的瓷坩埚中，放入电阻炉内于(950±20) ℃灼烧 120 min，待温度降至 450 ℃以下取出，在干燥器中冷却 30 min 称量，直至恒量。

三、结果计算

灼烧减量用式(7-1)计算：

$$x_{\text{fir}} = \frac{m_{\text{fir}} - m_{\text{fir}}}{m_{\text{fir}} - m_0} \times 100\% \tag{7-1}$$

式中　x_{fir}——试样中灼烧减量的含量(%)；

　　　m_{fir}——灼烧前试样加坩埚质量，g；

m_{fir}'——灼烧后试样加坩埚质量，g；

m_0——坩埚质量，g。

第三节　硫化物和碳酸盐联合测定

一、方法提要

(一)硫化物的测定——碘量法

硫化物与盐酸作用生成硫化氢，硫化氢与定量且过量的碘液反应，剩余的碘液用标准的硫代硫酸钠溶液滴定，根据硫代硫酸钠溶液的消耗量计算试样中硫的含量。反应式如下：

$$S^{2-} + 2HCl \longrightarrow H_2S \uparrow + 2Cl^-$$
$$I_2 + H_2S \longrightarrow 2HI + S \downarrow$$
$$I_2 + 2Na_2S_2O_3 \longrightarrow 2NaI + Na_2S_4O_6$$

(二)二氧化碳的测定——中和法

试样中的碳酸盐与盐酸反应生成二氧化碳，二氧化碳与氢氧化钡定量反应，再用标准的草酸溶液滴定过量的氢氧化钡，根据草酸溶液消耗的量，计算二氧化碳的含量。反应式如下：

$$CO_3^{2-} + 2HCl \longrightarrow 2Cl^- + H_2O + CO_2 \uparrow$$
$$CO_2 + Ba(OH)_2 \longrightarrow BaCO_3 \downarrow + H_2O$$
$$Ba(OH)_2 + H_2C_2O_4 \longrightarrow BaC_2O_4 \downarrow + 2H_2O$$

二、测定装置

硫化物与二氧化碳测定装置见图 7-1。

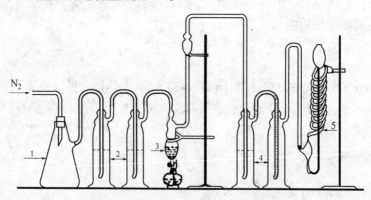

图 7-1　硫化物与碳酸盐测定装置

1—安全瓶；2—洗气瓶，内装碱性焦性没食子酸，吸收空气中的氧气和二氧化碳；

3—反应瓶；4—硫化氢吸收瓶，内装 20%醋酸锌溶液 90 mL；

5—二氧化碳吸收器，内装 50 mL 0.025 mol/L 氢氧化钡溶液加三滴 0.1%酚酞溶液

三、分析步骤

(1)精确称取 0.300～0.500 g 试样置于反应瓶中，加入 50 mL 蒸馏水，将反应瓶和硫化氢吸收瓶按图 7-1 所示接好。先通入氮气排除系统中的气体约 2 min，把洗气瓶出口的皮管夹死，再将二氧化碳吸收器接入系统中，将漏斗插入反应瓶的进气口，在装置末尾处用吸耳球吸气,同时从漏斗缓缓加入 25 mL 盐酸(1+1)，用夹子夹死反应瓶的进气口，然后去掉漏斗，使反应瓶的进气管与洗气瓶出口连接。以酒精灯加热反应瓶，沸腾 3 min后，缓缓打开进气口的夹子，用螺旋夹将气流调至适当速度，通入载气 45 min，移开酒精灯。夹住进气口，取下硫化氢吸收瓶。加过量且定量碘液于吸收瓶中，再从吸收瓶口处加入 1+1 盐酸 5 mL，于暗处放置 5 min，用硫代硫酸钠标准溶液滴定至微黄色，加淀粉溶液 1 mL，滴定至蓝色消失为终点。记下硫代硫酸钠消耗体积 $V_{硫代}$。

(2)同时取下反应瓶，将反应后的酸液用定量滤纸过滤到 250 mL 容量瓶中，并用热蒸馏水洗涤至无氯离子，稀释至刻度，作为酸溶试样备用。滤纸连同残渣作测定酸不溶物用。

(3)取下反应瓶和硫化氢吸收瓶后，立即将二氧化碳吸收器与载气连通，在载气的驱动下，吸收器中的溶液在蛇形管中建立起稳定的循环时，用草酸标准溶液滴定吸收器中 $Ba(OH)_2$ 溶液至红色消失，在 30 s 内颜色不变为滴定终点，记下草酸标准溶液的消耗体积 $V_{草酸}$。

(4)空白值测定：反应瓶中不加试样，其余均按试样(1)～(3)各测一空白值为 $V_{空白}$。

(5)计算：

$$Q_1 = \frac{(V_{空白} - V_{硫代}) \times 16.03 \times c_{硫代} \times 10^{-3}}{m} \times 100\% \qquad (7-2)$$

式中　Q_1——试样中 S^{2-} 的含量(%)；

$V_{空白}$——空白消耗硫代硫酸钠标准溶液的体积，mL；

$V_{硫代}$——试样消耗硫代硫酸钠标准溶液的体积，mL；

$c_{硫代}$——硫代硫酸钠标准溶液浓度，mol/L；

m——试样质量，g。

$$Q_2 = \frac{(V_{空白} - V_{硫代}) \times 44.01 \times c_{草酸} \times 10^{-3}}{m} \times 100\% \qquad (7-3)$$

式中　Q_2——试样中二氧化碳的含量(%)；

$V_{空白}$——空白消耗草酸标准溶液的体积，mL；

$V_{草酸}$——试样消耗草酸标准溶液的体积，mL；

$c_{草酸}$——草酸标准溶液浓度，mol/L；

m——试样质量，g。

(6)注意事项：

①每做一批试样都要做一次空白试验。

②测定前对装置进行详细检查，要求整个系统无泄漏。

③做完试样后，将洗气瓶进出口用夹子夹死，避免空气进入。

④若试样中无 S^{2-} 或其含量小于 5%，则 CO_2 分析可用灼烧减量法。

第四节　酸不溶物的测定

一、方法提要

试样经盐酸分解后，酸不溶物部分用称量法测定。

二、分析步骤

(一)方法一

该方法适用于 S^{2-} 含量小于 5%的试样。

将测定灼烧减量后的试样移入 100 mL 瓷蒸发皿中，加少量蒸馏水调成糊状，慢慢加入 10 mL 盐酸，于砂浴上蒸干。取下瓷蒸发皿再加入 10 mL 盐酸及 50 mL 蒸馏水，煮沸。稍冷却，充分搅拌后趁热用中速定量滤纸过滤到 250 mL 容量瓶中，用 2%热盐酸洗3 ~ 5 次，再用热蒸馏水洗涤到滤液中不含氯离子为止，然后用蒸馏水把容量瓶稀释至刻度，摇匀，以备测定铁、铝、钙、镁之用。

将滤纸移入预先称量过的瓷坩埚中，于电炉上小火灰化后，在(950 ± 20) ℃下灼烧至恒量。

(二)方法二

该方法适用于 S^{2-} 含量大于 5%的试样。

将硫化物和碳酸盐联合测定后的酸不溶物连同滤纸置于已恒量的瓷坩埚中，灰化后，于(950 ± 20) ℃下灼烧至恒量。

三、结果计算

酸不溶物含量可用式(7-4)计算：

$$x_{酸不溶} = \frac{A - B}{m} \times 100\% \tag{7-4}$$

式中　$x_{酸不溶}$——酸不溶物含量(%)；

　　　A——残渣加坩埚质量，g；

　　　B——坩埚质量，g；

　　　m——试样质量，g。

第五节　铁离子的测定

一、方法提要

在 pH＝2 ~ 2.5 的溶液中，Fe^{3+}可与 EDTA 定量络合形成很稳定的络合物，磺基水杨酸钠亦能与 Fe^{3+} 形成红色络合物，但不如前者稳定。当用 EDTA 滴定时，EDTA 能从指

示剂络合物中夺得 Fe^{3+} 而生成稳定的络合物，因而在等物质的量点时，所有的 Fe^{3+} 都与 EDTA 络合，溶液由紫水晶色变为无色或亮黄色。

当滴定完 Fe^{3+} 后，给溶液中加入过硫酸铵，使 Fe^{2+} 氧化为 Fe^{3+}，再按 Fe^{3+} 的测定方法进行滴定，分别计算出 Fe^{2+} 和 Fe^{3+} 的含量。

二、分析步骤

用移液管吸取 $10 \sim 50$ mL 分离酸不溶物后的滤液(或已做过硫化物和碳酸盐的滤液)于锥形瓶中，滴加 1+1 氨水调节 $pH = 2 \sim 2.5$，加入 $4 \sim 6$ 滴 10% 磺基水杨酸钠指示剂，使溶液呈紫水晶色。然后用 EDTA 标准溶液滴定至无色，记录 EDTA 消耗体积 V_1。在该测定液中，加入约 0.2 g 过硫酸铵，不断摇动 30 s，在 $30 \sim 40$ ℃的条件下，用 EDTA 标准溶液继续滴定至无色或亮黄色，记录 EDTA 消耗体积 V_2。

三、结果计算

铁离子含量可用式(7-5)、式(7-6)计算：

$$x_1 = \frac{cV_1 \times 55.85 \times 10^{-3}}{m \times \dfrac{V_0}{250}} \times 100\% \tag{7-5}$$

$$x_2 = \frac{cV_2 \times 55.85 \times 10^{-3}}{m \times \dfrac{V_0}{250}} \times 100\% \tag{7-6}$$

式中　x_1——试样中 Fe^{3+} 的含量(%)；

　　　x_2——试样中 Fe^{2+} 的含量(%)；

　　　V_1——测定 Fe^{3+} 时 EDTA 消耗体积，mL；

　　　V_2——测定 Fe^{2+} 时 EDTA 消耗体积，mL；

　　　V_0——测定时试样体积，mL；

　　　c——EDTA 标准溶液的浓度，mol/L；

　　　m——试样质量，g。

第六节　三氧化二物的测定

一、方法提要

分离酸不溶物后的溶液中，主要有铁、铝、钙、镁等金属离子，当用氨水中和时，铁、铝等金属离子生成相应的氢氧化物，灼烧成 R_2O_3，钙、镁仍留于溶液中。

二、分析步骤

取 100.00 mL 分离过酸不溶物后的滤液(或已测过硫化物和碳酸盐后的滤液)于 250 mL 烧杯中，加入 $2 \sim 3$ 滴硝酸，加热至沸，稍冷，加入 $2 \sim 3$ 滴甲基红，在搅拌下慢慢滴加 1+1 氨水至溶液变黄，并略有氨味。加热至沸，取下，放置 2~2 min，使沉淀物下沉，然后趁热过滤，在过滤时溶液应保持 70 ℃左右。滤液收集于 250 mL 容量瓶中，用热的 2%氯化铵溶液洗涤 8~10 次，再用蒸馏水洗涤至不含氯离子为止，滤液留用待测 Ca^{2+}、Mg^{2+}、SO_4^{2-}。

将滤纸及沉淀物放入已恒量的瓷坩埚中，灰化后放入电阻炉内，升温到(950 ± 20) ℃，灼烧至恒量。

三、结果计算

三氧化二物含量可用式(7-7)计算：

$$x_{R_2O_3} = \frac{(m_1 - m_2) \times \dfrac{250}{V_1}}{m} \times 100\% \tag{7-7}$$

式中　$x_{R_2O_3}$——试样中三氧化二物的含量(%)；

　　　m_1——残渣加坩埚的质量，g；

　　　m_2——坩埚的质量，g；

　　　V_1——测定时分取试样体积，mL；

　　　m——试样质量，g。

第七节　钙、镁、硫酸根的测定

一、方法提要

用测定三氧化二物时的滤液测定钙、镁、硫酸根。方法提要及测定步骤按第五章中的相关规定进行。

二、结果计算

(一)钙的计算

钙含量用式(7-8)计算：

$$x_{Ca} = \frac{cV_1 \times 40.08 \times 10^{-3}}{m \times \dfrac{V_0}{250} \times \dfrac{100}{250}} \times 100\% \tag{7-8}$$

式中　x_{Ca}——试样中 Ca^{2+}的含量(%)；

　　　V_1——滴定 Ca^{2+}消耗的 EDTA 体积，mL；

　　　V_0——滴定 Ca^{2+}时分取试样体积，mL；

　　　c——EDTA 标准溶液的浓度，mol/L；

　　　m——试样质量，g。

(二)镁的计算

镁的含量用式(7-9)计算：

$$x_{Mg} = \frac{c(V_2 - V_1) \times 24.3 \times 10^{-3}}{m \times \dfrac{V_0}{250} \times \dfrac{100}{250}} \times 100\% \qquad\qquad (7-9)$$

式中　x_{Mg}——试样中 Mg^{2+} 的含量(%)；

　　　V_1——滴定 Ca^{2+} 消耗的 EDTA 体积，mL；

　　　V_2——滴定 Ca^{2+}、Mg^{2+} 合量时消耗的 EDTA 体积，mL；

　　　V_0——滴定 Ca^{2+}、Mg^{2+} 时分取试样体积，mL；

　　　c——EDTA 标准溶液的浓度，mol/L；

　　　m——试样质量，g。

(三)硫酸根的计算

硫酸根含量用式(7-10)计算：

$$x_{SO_4^{2-}} = \frac{(m_1 - m_2) \times 96.06/233.39}{m \times \dfrac{V_0}{250} \times \dfrac{100}{250}} \times 100\% \qquad\qquad (7-10)$$

式中　$x_{SO_4^{2-}}$——试样中 SO_4^{2-} 的含量(%)；

　　　m_1——坩埚加沉淀的质量，g；

　　　m_2——空坩埚的质量，g；

　　　m——试样质量，g；

　　　V_0——测定 SO_4^{2-} 时分取试样体积，mL。

第八节　硫酸钡的测定

一、方法提要

将酸不溶物残渣与 Na_2CO_3 溶液共煮，使 $BaSO_4$ 转化为可溶于盐酸的 $BaCO_3$，再用盐酸溶解，用硫酸使之沉淀为 $BaSO_4$，灼烧称量后，计算出试样中 $BaSO_4$ 的含量。

二、分析步骤

(一)Ba^{2+}的定性检查

取少量试样，加入 10%Na_2CO_3 溶液，煮沸 5～10 min，过滤洗涤，弃去滤液。在漏斗上用盐酸溶解沉淀，烧杯承接滤液，调 pH 值至中性，在滤纸上滴一滴滤液，再加入一滴玫瑰红酸钠溶液，若有棕红色斑点，在斑点上滴加 0.1 mol/L 的 HCl，棕红色变为桃红，表示有 Ba^{2+} 存在，即说明试样中有 $BaSO_4$。

（二）$BaSO_4$ 的转化

将酸不溶物残渣放入 200 mL 烧杯中，加入 40 mL 10%Na_2CO_3 溶液，煮沸 10 min，将上面清液倒出，用致密定量滤纸过滤，再于烧杯中加入 20 mL 10%Na_2CO_3 溶液，煮沸 10 min，边煮边用玻璃棒搅拌，并随时补充部分蒸发掉的水分，以防止溶液过浓而溅出。此时，不溶于酸的 $BaSO_4$ 转化为 $BaCO_3$，趁热再转入上述滤纸中过滤。将烧杯中的沉淀全部转移到滤纸上，用1%Na_2CO_3溶液洗涤至无SO_4^{2-}。

酸化：将盛有$BaCO_3$沉淀物的漏斗盖上表面皿，用15 mL10%热盐酸分几次溶解滤纸上的沉淀，滤液用原烧杯承接。洗涤沉淀10~15次，使$BaCO_3$全部溶解进入滤液。

沉淀与灼烧：将酸化后的溶液浓缩到一定体积，调pH=1左右，加热至微沸，缓缓加入过量浓度为5%的H_2SO_4溶液5~10 mL，使Ba^{2+}呈$BaSO_4$沉淀，低于10 ℃，保持1 h，陈化过夜。用致密定量滤纸过滤，用热蒸馏水洗涤沉淀至无氯离子为止。

将沉淀同滤纸装入瓷坩埚中，灰化后放入800 ℃高温炉中灼烧至恒量。

三、结果计算

硫酸钡含量用式(7-1)计算：

$$x_{BaSO_4} = \frac{m_1 - m_2}{m} \times 100\% \tag{7-11}$$

式中　x_{BaSO_4}——试样中$BaSO_4$的含量(%)；

m_1——坩埚加沉淀的质量，g；

m_2——空坩埚的质量，g；

m——试样质量，g。

第九节　油田水沉积物组分分析报告

一、报告内容

报告内容应包括有关样品的全部资料、日期、时间、采样地点等。

分析结果包括垢样中Fe^{2+}、Fe^{3+}、Ca^{2+}、Mg^{2+}、SO_4^{2-}、酸不溶物及灼烧减量的含量。

二、试验结果记录格式

试验结果记录格式见表7-1。

表7-1　垢样组分测定数据记录表

项目		结果(%)
灼烧减量	S^{2-}	
	CO_2	
	水分及油污等	
酸不溶物	$BaSO_4$	
	其他	
Ca^{2+}		
Mg^{2+}		
Fe^{3+}		
Fe^{2+}		
SO_4^{2-}		
总计		
油含量		
试验结论		
备注		

第八章 油田水结垢趋势预测技术

油田生产的经验表明，结垢问题是与原油的生产过程相伴而生的。结垢可能存在于油层、近井带、射孔孔眼、井筒、集输管线、贮罐、处理容器等处，致使油层伤害、阻流、设备磨损、垢蚀等问题出现，生产受到严重影响。特别是注水开发油田，由于水的热力学不稳定性和化学不相容性，结垢问题更为突出。由于结垢等影响，造成油井产液量下降、注水井压力上升，采油措施费用、管线及设备维护更新费用大幅度上升，严重者造成油井停产或报废，从而严重影响了油田的开发效果与经济效益。

结垢严重影响石油开采的实例极多。据资料统计，在美国，70多万口油井、气井、辅助井中大多数井的产能或注入能力减少很多，原油产量损失和各种除垢作业造成的经济损失每年达10亿美元，许多油井和油田由于结垢而过早报废。墨西哥有一口油井井底形成 $CaCO_3$ 垢，日产量由初始 $500 \ m^3$ 递减，最终降至 $50 \ m^3$ 以下，经除垢、抑垢化学药剂处理后增至 $800 \ m^3$。苏联某油田9口更新井产层岩心分析表明，有2口井产层有效厚度内一些岩心中 $CaSO_4$ 含量高达41%，而一般平均含量仅为 $0.02\% \sim 1.00\%$。$CaSO_4$ 垢沉积不仅发生在近井地带，而且发生在相当大的延伸范围内，阿塞拜疆油田已证实了地层中碳酸盐类直接沉积的可能性。

我国的长庆油田、胜利油田、吉林油田、华北油田、克拉玛依油田、渤海海上油田等，都已碰到油田结垢问题。早在1977年长庆马岭油田中区试验区投入开发不久，就在岭201、206，庆1井、庆参井等油井发现了结垢。庆1井检泵后两周油管堵死，抽油杆被拉断，庆参井也因结垢堵死无法处理而报废，这4口井垢型均为 $CaSO_4$ 垢。此后又在集输系统发现了严重的结垢，结垢油井和计量站、转油站不断增加，范围扩大。

长庆马岭油田南区与安塞油田地层产出水中普遍含有 Ba^{2+}，平均 $400 \sim 500 \ mg/L$，个别井高达 $1\,600 \ mg/L$。而作为油田注入水的白垩系洛河层水，水中 SO_4^{2-} 含量为 $1\,051 \ mg/L$，这两种水是严重不相容的，在注水过程中，会导致在地层内形成 $BaSO_4$ 垢，这一事实被地层结垢取心检查井资料所证实。

目前，我国大部分陆上油田进入了中高含水期，产油层也由Ⅰ类层转入Ⅱ、Ⅲ类层，即进入难动用储量的开发阶段。结垢对生产的影响也日趋明显。因而，加强结垢预测工作、防患于未然意义十分重大。

第一节 结垢趋势预测技术发展概况

结垢趋势预测研究始于20世纪30年代，至今仍在广泛、深入地进行着。

$CaCO_3$ 垢预测研究，最早见于1936年 Langelier 提出的"水稳定性指标"，用来预测工业用水的 $CaCO_3$ 垢；1942年 Larson 等人研究了压力、温度、盐度对"水稳定性指标"的影响，增加了该指标的可靠性；1952年，Stiff 和 Davis 修改了 Langelier 的方法，用"饱和度指数"预测油田水 $CaCO_3$ 垢，以此为一个新起点，预测结垢的研究向纵深扩展。

由于油田水结垢受到成垢介质、成垢环境、沉积反应历程等多种因素的影响，因而，经典的理论预测结果有很大的局限性，有时与实际情况差别较大。随着试验技术的发展，模拟试验成为结垢预测的重要手段。模拟试验技术也由原来的静态试验向动态试验发展，模拟试验条件更加接近实际。高温高压模拟试验、扫描电镜、X-衍射、CT 及核磁共振等高新技术在油田水结垢预测评价中的应用，使油田水结垢预测评价技术迈上了一个新台阶。

结垢预测理论的成熟与完善、模拟试验技术的现代化、计算机技术的普及以及越来越多的现场结垢实际资料的积累，为计算机预测结垢技术的形成与发展奠定了良好基础。参加我国渤海油田开发的美国 OIL PLUS 公司，用计算机预测油田结垢是设计"开发方案"的一项重要内容；美国 NALCO 公司在我国进行技术交流时现场演示了这项技术；美国德州大学、加拿大艾伯特油砂技术研究局等在应用计算机预测油田结垢方面也是卓有成效的。

国内在计算机预测油田结垢方面，长庆油田、西安石油学院、江汉石油学院等单位都进行了大量研究工作，预测软件日趋成熟完善，并在生产实际中进行了应用。有理由认为，计算机预测油田结垢必然受到日趋广泛的重视并成为必然。

目前，油田结垢预测无论是理论方法，还是模拟试验法，都在处于不断完善过程中，主要问题是缺乏油藏高温高压条件变化对结垢影响的模拟试验手段，不能全面考虑影响地层、井下结垢的各种环境因素，大多数试验研究中未考虑不能忽略的压力因素。对压力的影响，目前大多局限于理论性探讨。有关文献报道的高温高压下溶解度及防垢测定，只限于单一组成的溶液体系，而岩心动态试验都是在低压或常压下进行的。在结垢的试验研究中，需建立完备的仪器及试验程序，以进一步研究地层、井下结垢问题。计算机预测油田结垢技术还需通过大量室内模拟试验、现场实际资料验证使数学模型更加准确。

第二节　结垢预测方法分类

结垢趋势预测方法主要有理论分析法和模拟试验法两大类。近年来发展起来的计算机预测结垢技术是理论分析法与计算机技术结合的产物。

一、理论分析判断法

（一）饱和指数法

1936 年，Langelier 根据水中碳酸的平衡关系，提出了饱和 pH 值、饱和指数(Is)的概念，以判断 $CaCO_3$ 水垢在水中是否会析出，并据此提出用加酸或加碱等办法来控制水垢的析出。所谓饱和 pH 值，即 $CaCO_3$ 在水中呈饱和状态时的 pH 值(pHs)。这时水中的 $Ca(HCO_3)_2$ 既不分解成 $CaCO_3$，$CaCO_3$ 也不会继续溶解。Langelier 推导出了计算饱和 pH 值(pHs)的公式，pHs 可由水的硬度、总溶解固体量、碱度和水温计算得出，并以水的实际 pH 值与 pHs 值的差值来判断水垢的析出，此差值 Langelier 称它为饱和指数，以 Is 表示，即 $Is = pH - pHs$。他提出：当 $Is > 0$ 时，水中的 $CaCO_3$ 必定处于过饱和状态，就有可能析出沉淀，这种水属结垢型水；当 $Is < 0$ 时，此时水中 $CaCO_3$ 必定处于不饱和状态，则原来附在传热表面上的 $CaCO_3$ 垢层会被溶解掉，使金属表面裸露在水中而受到腐

蚀，故而他把这种水称作腐蚀型水；当 $Is=0$ 时，$CaCO_3$ 既不析出，原有 $CaCO_3$ 垢层也不会被溶解掉，这种水属于稳定型，既不腐蚀也不结垢。

1952 年，Stiff 和 Davis 在 Langelier 饱和指数的基础上，综合考虑了水的温度、压力、pH 值、盐度等因素，导出了 $CaCO_3$ 结垢的方程式：

$$Is = pH - pHs = pH - K - pCa - pAlk \tag{8-1}$$

式中　Is——饱和指数；

　　　　pH——水的实际 pH 值；

　　　　K——常数，系含盐量、矿化组成和水温的函数，可由离子强度和水温的关系曲线求得；

　　　　pCa——Ca^{2+} 浓度的负对数；

　　　　pAlk——总碱度的负对数。

当 $Is<0$ 时，表示水中 $CaCO_3$ 未达到饱和，不大可能结垢；$Is>0$ 时，可能结垢。该方法适用于温度 0~100 ℃，pH=5.5~8.5，离子强度 $\mu<6.0$ 的水体系。

1982 年，Oddo 和 Tomson 对饱和指数法进行了改进，考虑了 CO_2 分压和总压对 $CaCO_3$ 结垢趋势的影响。

（二）斯克尔曼(Skillman)热力学溶解度法

油田水常见的硫酸盐垢主要是 $CaSO_4$。$CaSO_4$ 结垢一般由不相容的水混合而产生，受水的化学组成、温度及压力等因素影响，结垢过程中可形成多种晶体，因此较难预测。比较符合现场实际的预测方法是斯克尔曼等人提出的热力学溶解度法。常用下式计算油田水中 $CaSO_4$ 的溶解度 $S(mol/L)$：

$$S = 10^3[(x^2 + 4K_{sp})^{1/2} - x]/2 \tag{8-2}$$

式中　x——Ca^{2+} 与 SO_4^{2-} 浓度之差，即 $x = [Ca^{2+}] - [SO_4^{2-}]$；

　　　　K_{sp}——浓度常数。

将计算出的 $CaSO_4$ 溶解度与实际浓度进行比较，以确定是否能够形成垢：若 $S=$ 实际值，$CaSO_4$ 饱和；$S>$ 实际值，$CaSO_4$ 未饱和，不结垢；$S<$ 实际值，$CaSO_4$ 过饱和，结垢。

（三）Valone—Skillman 法

Valone 和 Skillman 以 Texaco 方法为基础，导出了 $CaCO_3$ 垢最大生成量预测公式：

$$PTB = 1.75 \times 10^4[G - (X^2 + 4 \times 10^{K-pH})^{1/2}] \tag{8-3}$$

式中　K——Stiff—Davis 常数；

　　　　pH——水系统实际 pH 值；

　　　　G——$[Ca^{2+}] + [HCO_3^-]$，mol/L；

　　　　X——$[Ca^{2+}] - [HCO_3^-]$，mol/L。

判断准则如下：PTB<0，无垢；0<PTB<100，产生很少量垢；100<PTB<250，产生的垢较多且硬；PTB>250，产生极严重的垢。

二、模拟试验法

结垢趋势模拟试验可分为静态法和动态法。

(一)静态模拟试验

通常使用的静态模拟法是将试验用水放在一密闭容器内，在规定的试验温度下恒温一定时间后，通过测定成垢离子含量的变化或用称量法计算出沉积结垢量。

挂片法也是一种较常用的结垢趋势试验法。这种方法是通过试片试验前后量的变化或表面沉积物的组成来判断结垢趋势。挂片法既可用于静态模拟试验(见图 8-1)，也可将试片挂在流程中进行动态试验(见图 8-2)。

图 8-1　挂片结垢试验(静态)　　　　图 8-2　挂片结垢试验(动态)

(二)动态模拟试验

动态结垢趋势模拟试验主要有以下方法：岩心驱替试验、模拟管试验、挂片试验等。

1. 岩心驱替试验

目前，国内普遍使用岩心驱替试验流程来进行动态结垢试验研究，其试验过程按照石油行业标准"SY/T 5358 砂岩储层敏感性评价—流动试验程序"规定的程序进行。通过测量岩心渗透率的变化来观察注入水、地层水及混配水的结垢趋势。其试验方法为：选取被研究地区有代表性的天然岩心或与天然岩心物性相近的人造岩心，将岩心加工成一定长度、一定直径的圆柱体。将岩心用地层水抽空饱和，在设定温度下用地层水驱替达到平衡后，测出岩心的原始渗透率 K_0。改用注入水或混配水在设定温度下沿同一方向驱替，测出岩心渗透率恢复值 K_d / K_0 随驱替体积的变化，即 $K_d / K_0 \sim PV$ 关系曲线(K_d 为注入非地层水后岩心的渗透率，PV 为以岩心孔隙体积倍数表示的注入流体体积)。若结垢严重，则岩心渗透率恢复值 K_d / K_0 将随驱替体积的增加呈明显下降趋势。

根据储层保护标准，渗透率恢复值 $K_d / K_0 \geqslant 85\%$，注入水不会因结垢、配伍性等问题造成储层伤害。

普通岩心驱替流程采用单泵驱替(见图 8-3)。这种试验方法注入水与地层水混配接触几率较小，结垢量相应很小。为解决普通岩心驱替流程结垢量结果偏低的问题，对岩心驱替流程进行了改进(见图 8-4)。一是将单泵驱替改为双泵同时驱替，分别驱出注入水和地层水；二是将岩心夹持器调节头进行改造，加工成双孔突出，使突出部分伸进岩心内部，保证双泵驱出的注入水、地层水在岩心内部混合。

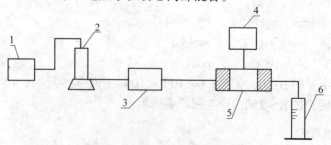

图 8-3　普通岩心驱替流程示意

1—平流泵；2—中间容器；3—过滤器；4—环压泵；5—岩心夹持器；6—量筒

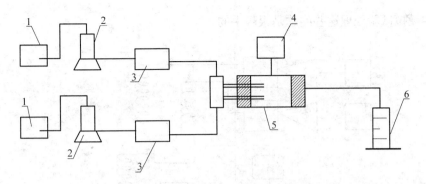

图 8-4 改进型岩心驱替流程示意

1—平流泵；2—中间容器；3—过滤器；4—环压泵；5—岩心夹持器；6—量筒

将试验过的岩心应用 CT 扫描技术、核磁共振技术以及扫描电镜能谱分析技术进行分析检测，能进一步确定岩心不同部位结垢情况、垢物类型。

2. 模拟管试验

虽然岩心驱替试验被普遍用来进行动态结垢趋势试验研究，但存在以下不足：一是不能直接给出结垢量结果，它是依据渗透率的变化间接反映结垢量的大小。二是渗透率的变化是多种因素共同作用的结果，是否结垢、结垢多少难以判断。除了结垢因素外，岩心中的敏感性矿物、驱替流速等因素均会引起渗透率的改变。模拟管法(盘管式动态试验流程)克服了上述不足，它是一种既接近真实地层条件，又简便、快速的试验方法。英国 OIL PLUS、美国 SERCK BAKER 公司都采用了这种方法。国内，中海油渤海公司研究院在这方面开展工作较早。

这种方法是以油田实注参数条件为基础，用泵向不锈钢细管(盘管)内注入地层水和注入水。如果地层水、注入水结垢或者两种水不配伍，就会在管壁上沉积结垢，水中也会析出沉淀物。通过称量不同部位模拟管试验前后质量的变化即可计算出高压区、低压区的壁垢。水中析出的沉淀物由微孔滤膜截留，通过称量计算出膜垢即水中析出的沉淀物的数量。借助扫描电镜、能谱、X-衍射等技术手段，还可以确定垢物组成及类型。这种方法较真实地模拟了油田注入水从注水井—地层—采油井全过程中的结垢特征，可显示结垢主要类型及结垢部位，有利于指导生产实际。基本原理见图 8-5。

三、计算机预测结垢技术

计算机预测油田结垢技术是在结垢预测理论发展日臻成熟完善、计算机技术普及的基础上，为了解决结垢预测中存在的以下问题发展起来的。一是为了提高预测的准确性和扩大应用范围，预测结垢倾向的数学表达式所用的直接参数、中间参数越来越多，由此产生了大量复杂的计算，这不仅耗时费事，还容易出现差错；二是高温高压条件下预测结垢的某些主要参数如 pH 值、平衡常数、离子活度、CO_2 气体在油相和水相中的分配等，不论是用试验方法还是其他方法，获得这些参数的难度很大；三是地层流体在运移的不同部位，都有可能产生结垢，由于成垢环境变化，油、水、气是处于动态平衡状态中，CO_2、H_2S、CH_4 等气体逃逸损失能改变地层水的某些特性，这些变化必然影响结垢。室内模拟试验处理这些问题是很棘手的。

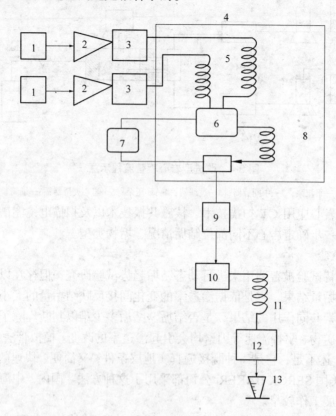

图 8-5　模拟管动态结垢试验装置原理

1—储水器；2—过滤器；3—高压恒流泵；4—恒温箱；5—加热盘管；6—混合池；7—压差传感器；
8—高压模拟管；9—高压薄膜滤器；10—回压控制阀；11—低压模拟管；12—低压薄膜滤器；13—量筒

计算机预测结垢的基础主要是：以前人研究工作成果，包括大量的室内静态试验、动态试验和现场试验为依据；应用热力学基本理论，主要涉及离子特性、固体物质的溶解反应、气体物质在水相和油相中的溶解反应(分配)、沉淀反应、活度、吉布斯自由能等；合理、正确的数值模拟、软件设计；反复用室内试验和现场试验对计算机的预测结果进行检验，对计算机预测结垢技术不断改进、补充完善。

计算机预测油田结垢数学模型的建立主要依据下述基本原理。

(一)溶度积规则

在一定的温度压力下，难溶电解质在溶液中有如下化学平衡：

$$AmBn(s) = mA^{n+}(aq) + nB^{m-}(aq)$$

$$K_{sp} = \left[A^{n+} \right]^m \times \left[B^{m-} \right]^n \tag{8-4}$$

式中　K_{sp}——成垢物质 $AmBn$ 的热力学溶度积。

对于难溶电解质溶液，有如下结垢趋势判定条件：

$\left[A^{n+} \right]^m \times \left[B^{m-} \right]^n < K_{sp}$，不结垢或原有垢继续溶解；

$[A^{n+}]^m \times [B^{m-}]^n = K_{sp}$，饱和无结垢；

$[A^{n+}]^m \times [B^{m-}]^n > K_{sp}$，结垢，直到等式成立为止。

(二)离子缔合理论

根据 Bjenum 原理，两个不同电荷的离子彼此靠近至某一距离时，它们之间的库仑力若大于热运动作用力，就能形成有足够稳定性的缔合新单元。缔合平衡式为：

$$mM^{n+} + nX^{m-} = MX^0$$

式中　MX^0——表示缔合体，呈中性。

缔合常数 K_{st} 的计算式为：

$$K_{st} = [MX^0] / [M^{n+}]^m [X^{m-}]^n \tag{8-5}$$

在油田水中，由于高矿化度及高离子强度而普遍存在缔合现象。在计算饱和指数 Is 时，为了精确，不能忽略其他离子的影响。而缔合常数是 T、P、S_i 的函数，并且包含了其他离子的作用。

(三)油田水饱和度指数方程

在预测油田水结垢趋势时，饱和度指数是一个重要概念，根据化学反应动力学基本原理，有下列等式成立：

$$Is = \lg[Me][An] / K_{sp}(T、P、S_i) \tag{8-6}$$

$$S_i = -\sum c_i z_i^2 / 2 \tag{8-7}$$

式中　Is——成垢物质饱和指数；

T、P、S_i——温度、压力及其离子强度；

c_i——离子浓度；

z_i——离子价数。

$Is = 0$ 时，溶液处于固液平衡状态，无结垢趋势；$Is > 0$ 时，溶液处于过饱和状态，有结垢趋势；$Is < 0$ 时，溶液处于欠饱和状态，非结垢条件。

西安石油学院罗明良等在收集大庆龙虎泡油田、吉林新民油田、吐哈油田等现场水质分析数据及其油藏参数基础上，利用经典溶液理论、离子缔合理论及多元非线性回归技术导出了适合国内油田水硫酸盐结垢饱和度指数 Is 的具体表达式：

$$Is = \lg([Me][SO_4^{2-}]) + a + bT + cT^2 + dP + eS_i^{0.5} + fS_i + gS_i^{0.5}T \tag{8-8}$$

式中　Me——Ca^{2+}、Ba^{2+}、Sr^{2+}；

$a \sim g$——各种盐及不同相态盐的系数。

对于碳酸盐结垢饱和度指数，具体表达式：

$$Is = \lg([Ca^{2+}][HCO_3^-]) + pH - h + iT + jT^2 - kP - lS_i^{0.5} + mS_i$$

对于式中的拟合系数 $h \sim m$ 和 pH 值，不论有无气相都已建立具体的计算模式，可以方便地求解。

Yenoah 等对 20 多种油田水结垢拟合的结果，$SrSO_4$、$CaSO_4$、$BaSO_4$ 和 $CaCO_3$ 的临界饱和度指数一般分别为 0.8、0.1、1.1 和 0.0。

$CaCO_3$ 结垢最大量预测方程：

$$W = \{ m_1 + m_2 - [(m_1 - m_2)^2 + 4K_{sp}]^{1/2} \} / 2 \tag{8-9}$$

式中，m_1、m_2 和 W 分别为二价盐 MA 的正负离子的初始浓度(mol/L)和最大沉淀量

（mol/L）。$CaCO_3$ 垢最大生成量对于挤注防垢剂的数量、浓度和其他防垢与垢处理措施非常重要，也为地层酸化解堵措施工作给出了定量指标。

硫酸盐结垢最大量预测方程：

$$K_{sp,BaSO_4} = (m_1 - \Delta m_1)[X - (\Delta m_1 + \Delta m_2 + \Delta m_3)] \tag{8-10}$$

$$K_{sp,SrSO_4} = (m_2 - \Delta m_2)[X - (\Delta m_1 + \Delta m_2 + \Delta m_3)] \tag{8-11}$$

$$K_{sp,CaSO_4} = (m_3 - \Delta m_3)[X - (\Delta m_1 + \Delta m_2 + \Delta m_3)] \tag{8-12}$$

式中　X、m_1、m_2、m_3——SO_4^{2-}、Ca^{2+}、Ba^{2+}、Sr^{2+}的初始浓度，mol/L；

Δm_1、Δm_2、Δm_3——$BaSO_4$、$SrSO_4$、$CaSO_4$的沉积量，mol/L。

分别把 Ba^{2+}、Sr^{2+}、Ca^{2+}的初始浓度和对应的 K_{sp} 代入方程，得到一个含三个未知量 Δm_1、Δm_2、Δm_3 的非线性代数方程组，求解即可得到对应的沉积量。

参 考 文 献

1 李化民，等. 油田含油污水处理. 北京:石油工业出版社，1992

2 唐受印，等. 废水处理工程. 北京:化学工业出版社，1998

3 油田化学剂质量检验编写组编. 油田化学剂质量检验. 北京:石油工业出版社，1997

4 周本省. 工业水处理技术(第二版). 北京:化学工业出版社，2002

5 金熙,等. 工业水处理技术问答及常用数据(第二版). 北京:化学工业出版社，1997

6 马宝岐，等. 油田化学原理与技术. 北京:石油工业出版社，1995

7 GB/T 18175—2000 水处理剂缓蚀性能的测定 旋转挂片法

8 GB/T 16632—1996 水处理剂阻垢性能的测定 碳酸钙沉积法

9 SY/T 5796—93 絮凝剂评定方法

10 SY/T 5673—93 油田用防垢剂性能评定方法

11 SY/T 5273—2000 油田采出水用缓蚀剂性能评价方法

12 SY/T 5329—94 碎屑岩油藏注水水质推荐指标及分析方法

13 SY/T 5523—2000 油气田水分析方法

14 JB/T 7901—1995 金属材料试验室均匀腐蚀全浸试验方法

15 SY/T 5405—1996 酸化用缓蚀剂性能试验方法及评价指标

16 SY/T 5890—93 杀菌剂性能评价方法

17 SY/T 5889—93 除氧剂性能评价方法

18 SY/T 5888—93 浮选剂浮选效果评定方法 转子吸气法

19 SY/T 5281—91 破乳剂使用性能检验方法 瓶试法